自然地圖・03 《海洋文化，科學務實與全球環境變遷 Global Change》

◎台灣南極中心

前進南極

EXPEDITION TO ANTARCTIC A —— 從南極看台灣

福爾摩沙科學研究站

南極點　玉山科學研究站

達爾科學研究站

企鵝先生◎著

晨星出版

第一本中文
南極綜合介紹

序文（一）

〈科學觀〉

從南極看台灣，也是從台灣看南極。李後進君客居紐西蘭十年後返國，有感於台灣遭受環境破壞之窘境，特寫成《前進南極》一書，值得國人一讀及反省，樂為之序。

1979年鎮東在英國的〝自然〞（Nature）雜誌，一連發表了兩篇文章，探討海洋吸收化石燃料二氧化碳的多寡問題。當時所面臨的瓶頸，是缺乏南冰洋，尤其是威得海的冬季數據。由於冬季海況惡劣，從未有研究船前往研究。然而冬季之威得海，卻又是全球三大洋底層水的最主要來源，缺乏了源頭的數據，對資料的研判，自然造成重大的不確定因素。

之後一年多的時間內，鎮東多方奔走，尋求冬季前往威得海研究的機會。正巧美、蘇當時也對三大洋底層水的生成有興趣，因此由蘇聯提供美國所沒有的大型破冰船（一萬五千噸的蘇摩夫號：SOMOV），而由美國提供蘇聯所缺的精密設備，合作前往威得海調查。

鎮東當時在奧勒崗州立大學任副教授，也爭取到了上船的機會，與十二位美國科學家及十三位蘇聯學者，於1981年10月9日（南半球冬末春初）由烏拉圭首府蒙特維得歐開航，10月20日於南緯56度半進入南極威得海冰原，穿透三百海涅之冰原後，11月3日由南緯62度半開始返航，11月14日離開冰原，25日回到蒙城。在冰原中發現，表層海水之溶氧低於正常值達15%，原因是中、下層低氧的海水湧升至表面後，因冰原之覆蓋無法與大氣交換，溶氧等氣體無法進入。也因此海洋學家才發現過去認為南冰洋可吸收大量化石燃料二氧化碳的說法是錯誤的。

1984年鎮東反國擔任中山大學客座教授，隨即展開與法國之合作，84、85年二度搭乘六千五百噸的瑪麗安號前往印度洋區之南極海域調查，並於若干去屬島嶼登岸。不過由於國內對相關研究不表興

趣，鎮東所用的美方經費無以爲繼，86年最後一次赴印度洋後工作台告暫停。

日前接獲李後進君來函表示他正在撰寫《前進南極》一書，又掀起了塵封的回憶。這麼多年來雖然未能重返南極，不過相關研究未曾中斷（只不過是不得不改用他人收集的資料）。尤其在全球氣候快速變遷的年代，由於南極地理位置的特殊性，以及生態之脆弱，全球環境的改變，往往在南極領先顯現出來。

以氣溫爲例，南極的氣溫上升即是科學界極爲關心的問題。預測今後一百年南極氣溫可能上升攝氏八到十度，而台灣只會上升一到三度。再以高空的臭氧洞爲例，南極上空發現的大洞規模極大，因此較早發現。隨後，台灣上空也發現了一個小洞。

地球其實很小，各地空氣、海水互動關係密切，南極產生的變化，要不了多久就會影響到台灣。台灣身爲地球村的一份子，對南極的關注理所當然，卻一向被忽視了。李君的大作，適時的提供了有關南極廣泛、圖文並茂的報導，圖文並茂的報導，值得一讀。其用心也令人欽佩。

中山大學海洋地質及化學研究所教授
行政院國家永續發展委員會委員
陳鎮東
1999年3月26日

序文（二）

〈歷史觀〉

少年時代曾在英文教材科書中讀過史考特（Robert F. Scott, 1868－1912）的南極遠航探險日記，印象極爲深刻。1998 年7月蘇格蘭的Dundee，登上當年他所搭乘的「探索號」（Discovery）參觀，1999年2月在紐西蘭基督城（Christchurch）的Avon河畔瞻仰他的銅像，也前往他在1901年8月南極，遠航時曾停泊整補的Lyttelton港一遊。遙遠而陌生的南極藉著歷史的牽連似乎不再遠不可及，透過「海洋台灣基金會」結識了李後進兄，並有緣先閱讀他的書稿，使我能搶先登陸而閱讀南極。

後進兄在南極前進基地的紐西蘭居住多年，也曾親自到過南極，因對南極充滿高度探索的興趣，因此不斷收集資料而奮力撰寫《前進南極》一書，作爲返國後送給國人的見面禮。希望擴大台灣人的知識視野，培養海洋國家性格，其精神令人感佩。本書內容相當廣泛，涵括自然事務的地質、地形、氣候、生態、動物、南極及其週邊，人文事務則有由早期至近代的探險活動、交通旅遊、地緣政治、科學研究等，作者編列井然有序的要目，書寫各種自然與人文事務，尤其配上甚多得之不易的圖片，更增加其可讀產，是國人了解南極的最僅資料。

作者在書中特別著界諸多探險家的冒險患難、堅毅不拔的精神，國家更應積極參與南極有關研究，藉前進南極改變台灣國際地位等要旨，使這本書不單只是在認識南極而已，在「從南極看台灣」一章中所提及的海洋精神、科學精神、從南極看台灣、台灣須進行國家改造、前進南極的學術研究、野外活動探險等，更是具有高度的反省

性。

　　台灣是一海洋島國，台灣人卻是不海之子，在長期受制於威權體制而形同陸封之國後，吾人應重新探索台灣的國家屬產與發展的方向，由陸地、海洋、海島、海洋到海外，從「前進南極」到「從南極看台灣」，而向大海洋，迎接新世紀，這是作序者的感想與期待，更願與讀者共享，是爲之序。

中央大學歷史研究所副教授

戴寶村

1999.3.30

序文（三）

　　兩年多前海洋文教基金會的網站收到李先生發自紐西蘭的信青達到我們的宗旨及工作方向的鼓勵和期待，並略述他的寫作計劃。不久，他短暫回台灣搜集海功號相關資料曾數度來基金會晤談他的寫作計劃、進度及對海洋台灣之寄望，並展示一些初稿與前所未見的南極景觀照片。去年，他在完成初稿的同時，也結束了在紐西蘭的業務回台定居；事實上，他是因著自己〝從南極看台灣〞的見聞與感想，正在積極推著台灣〝前進南極〞。

　　返台後，李先生來基金會研商出版事誼。當時正值三合一選舉逐漸加溫之際，庸俗的我把大部份時間精力集中在各方口水新聞上，時而加入筆戰；對真正珍貴的書稿僅只漫不經心的瀏覽一下目錄、照片及部份章節。雖也曾陪他向認識的出版界引荐都不曾有結果；幸有基金會原創始人之一，林文華先生，除精心代為設計封面外，並仔細研讀及提供改進意見，終獲晨星出版社允予出版。簽約後，作者要我寫序，拖予好幾個月，一直遲遲無從下筆，原因如下：

　　參加海軍，環遊世界，我15歲加入海軍陸戰隊，21歲進海軍官校，29歲退伍，14年的海軍生涯只去過一次琉球。4年的商船工作、25年航海教學生活都侷限於一般水域的開船技能，藉以謀生而已。回顧一生，對於有關海洋的人文、社會，特別是基礎科技，如海洋地質、生態等普通常識都極為貧乏。

　　而李先生用10年的生活體驗，加上純為理念所走過的道路和心路完成的這本著作，對我來說，幾乎是完全陌生的領域。

　　對於這本書，我真的是無力作序，謹寫出個人的幾點雜感與讀者分享。

　　千百年來，億萬中國（或曰漢、唐）人，「活著」是最高的價值，「過好日子」是一切努力的目標。早在一百多年前，西方探險家全憑傳統的帆船登陸南極，現存的一個古基地門外仍保留一具完整的

Husky狗的遺骸。20年前，有一對英國夫婦由英國的格林威治沿0經度南下到達並跨越南極後，再沿180經度線（國際換日線）北上直到北極，再向南回到倫敦；這趟繞地球一週走了三年，行前花了六年時間籌備。4年前一對澳洲夫婦曾在南極具有最強狂風紀錄的地方建造一棟小屋住了一年，為了要體驗時速兩百多公里的狂風以及全年平均氣溫在0℃到-59℃（曾有-91℃的紀錄）的酷寒。作者曾看過一位八十幾歲的老翁參加南極旅行以完成他一生的心願⋯⋯。這些人並非有錢、有閒，而是集一生的努力賺錢、借貸或變賣祖產，就為了完成自己的理想。

大漢傳統文化產生的中國人，從小到老，很難有人會有這種理想或心願。誠如作者說，台灣人（應該是傳統中國人）會問：那裡有什麼好玩的？好吃的？我再補充問：去那兒會有什麼好處（名、利、事業、前途）？假如能在回到20歲，或能活到一百歲，我也不會有上述的理想或心願。

作者把西方人文與科技的成就歸之於〝科學精神與海洋文化〞兩大原動。對此範圍遼闊的思維我雖有同感，卻無力具體其所以然，只能像霧裡看花一樣，粗略述說自己的淺見。

80年前，中國知識份子大力鼓吹迎接〝德先生和賽先生（民主與科學）〞。現在中國人只迎來德先生的軀殼和賽先生的畫像，全無兩者的精神。

個人認為〝科學精神〞首重求真，具體的表現是：親近自然、了解自然並向自然學習和諧共生之道，進而體認到自然的美善。〝海洋文化〞是以眾生平等為基點，發展出人類彼此及與萬物之間的價值觀、社會結構及生活方式。假設此言有些許道理，則台灣人在〝科學精神及海洋文化〞方面，尚在啟蒙階段。

海洋台灣基金會董事長
海洋大學教授
廖中山
1999年4月11日

序文（四）

〈社會觀〉

　　以〝企鵝先生〞爲筆名的李後進先生利用旅居紐西蘭十年之久的時間中從事〝南極〞之觀察與研究，其具體成果就是一本《前進南極──從南極看台灣》之用心力作。記得近二十年前他還是一位國小教師時，就相當關心台灣鄉土的一草一木，而台灣的政治生態也不例外。只是理想與現實往往大有出入，也許這點正是他離鄉背景前往紐西蘭寄居的原因。人總是善於適應環境之動物，只是投入並探究其所處環境者實在不多，李先生卻是其中之一。我很佩服他於旅居紐國之後對〝南極〞如此投入與愛好，繼而完成了這本力作。而此書又能夠被安排在〝台灣叢書〞裡面，由此可見它受重視之程度。

　　誠如作者所言，：〝南極〞是個遙遠的地方，可是它卻是我們這個地球行星的重要生態地區。激發作者著述此書之動機，除了讚嘆西方探險家早在一世紀前即有〝南極探險〞的偉大行止而大書特書者外，更要鼓勵時下的台灣人憑其〝海洋精神〞去認識〝南極〞，繼而〝前進南極〞！

　　就作者於書中目錄的安排及其敘述的內容見之，可謂對〝南極〞之探索相當用心且觀察入微。作者在第一章即肯定〝南極大陸〞是上蒼所賜之〝世界公園〞，因此一自然淨土的〝生態〞既活潑又迷人──南冰洋的〝冰〞、〝天候〞、〝時令〞、〝特殊生態〞、〝野生動物〞及其與〝亞南極關係〞等等，所以值得介紹。同時作者又切入有關〝南極探險〞之歷史，打從〝南極大陸〞之發現、過去與現在之探險活動、各國在該地區的科學研究基地，以至〝南極旅遊〞情況及人類活動對〝南極〞之衝擊等等均有細膩觀察與記錄，誠然用心良苦，精神可嘉。而其中最具啓發性價值的是〝從南極看台灣〞（第二十章），它提到西方人的〝海洋精神〞及〝科學精神〞之偉大貢獻，因它足以爲島國台灣人之楷模。再從〝南極〞看台灣這個十六世紀被葡萄牙航海家命名爲〝美麗島（Ilha Formosa）〞的鄉土，可惜因政治腐敗因

素及泡沫經濟奇蹟，即無環保觀念而使它變成〝垃圾之島〞，又缺乏健全的教育觀與國際觀而使它無〝國際戶籍〞，所以台灣要向〝南極〞學習，更要前進〝南極〞、探險〝南極〞！作者又提到台灣人要向紐西蘭人學習與借鏡，也強調台灣島國之改造——建構一個健全的民主、經濟、文化、科學、社會安全保障、與大自然融合的〝生命共同體〞社會。若實基督教的信仰而言，那就是願〝上帝國〞能夠實現在斯土台灣。

　　走筆至此，我實在十分佩服作為台灣人的作者對於〝南極事務〞有如此的熟悉與熱愛，同時對於祖國台灣有如此的感情與期待。台灣是一條太平洋上的大鯨魚，牠要載著斯土斯民游向世界五大洋去認識各國的人文，學習不同民族之優點。而《前進南極—從南極看台灣》正是發揚它海洋精神之重要學習課題。期待這本李先生的佳作，使咱大家有所啟發與學習。

　　　　　　　　　　　　　　師範大學人文教育中心　兼任教授
　　　　　　　　　　　　　　董芳苑　謹識
　　　　　　　　　　　　　　1999,4,21

9

謝誌

　　本書幸得各界的大力協助方能完成出版，在此需特別向他們致謝。

　　內文方面：國內之海洋文教基金會董事長的廖中山教授、中央大學的戴寶村教授、師範大學的董芳苑教授、中山大學的陳鎮東教授、台灣水產試驗所的楊鴻基與劉振鄉博士與王敏昌及廖學耕兄和民生報的黃德雄兄提供了相關之知識／資訊與指正，其中陳教授更讓本書收錄其大作「寶島未來的環境」，而本書最後章之公共提議的「台灣南極中心」則來自舍弟李後龍之構思。另，紐西蘭之外交與貿易部、南極學院（NZAI）、南極傳承基金會（AHT）、綠色和平組織與科學家David L. Harrowfield博士。美國之山嶺俱樂部（SICRRA CLUB）、南極條約系統之南極計劃經理委員會（COMNAP）及Alpine Ascents Internationl 公司。英國的史考特極地研究所（SPRI）及傳承基金會（UKHT）。還有包括美、英、德、挪、義、日、法、阿、智、印、中、澳、紐、斐、荷、比、韓、加、波蘭、瑞典及巴基斯坦等之國家南極科學研究機構均支援了豐富的南極資訊。

　　影像方面：國內除了中山大學的陳鎮東教授、台灣水產試驗所的王敏昌兄、張子芸小姐、理想旅運社蘇莉三仁與陳瑞倫兄、新觀念雜誌社的郭宏東兄、民生報的黃德雄兄、台灣山岳協會的張合助兄及中華山岳協會的精彩幻燈片，生態畫家鄭義朗兄（魚藏）亦無償地提供其使用於今年最新之生態月曆的鯨豚原作；海洋文教基金會之林文華兄設計並製作台灣南極研究計劃之標記；建國會讓本書使用其登錄之台鯨標記則得到張旭文兄的協助；另構想中之「台灣南極中心」則由黃俊男兄提供其悉心完稿的圖像。無償地來自現代南極探險者的包括加拿大之Gareth Wood 先生、挪威的Sjur 及Simen Mordre 兄弟、英國的Ranulph Fiennes 爵士與比利時的Alain Hubert 及Michel Brent 先生和美國的Vaughan 夫婦及其隨隊專業攝影師Alpenimage 公司的Gordon Wilsie 先生。紐西蘭的南極學院（NZAI）、生態保育部（DOC）。美國的洛克希德航太公司，瑞典的 Hagglunds 公司與澳洲的AdventureAssociates 公司亦同。紐西蘭的國立海事博物館、Auckland戰爭紀念博物館、Lyttelton 博物館、Canterbury 博物館以及南極中心亦

免費讓本書使用筆者分別在各館內所拍攝的相關的相關歷史文物影像，而其國立圖書館內的Alexander Turnbull 專館和Canterbury 博物館以及美國的Alpine Ascents Internationl 公司則讓本書以優惠價購其所蒐集之難得的南極探險照片。澳洲的Adelaide 大學提供了一則歷史影像。美國博克萊大學的Douglas M. Lowder 博士慷慨地讓本書使用其AMANDA研究計劃的標誌。

美國Griders Promotions 公司、Alpenimage 公司與英國的ANI公司均曾不吝地協助筆者找到數位南極探險者，以搜集其事跡資訊或影像。

紐西蘭的吳德朗、周義雄、周三雄、潘耀西、譚維禎、蔣文玲、廖林志翔、劉思漢、劉莉莉及趙吉章等友人在意件提供、編輯方向、翻譯、審閱、電腦作業以及精神鼓勵…等方面都曾給我相當的幫忙。國內前述的廖中山與戴寶村教授協助我尋找出版者；因陳南州牧師及施瑞雲小姐支助使簽滿名的八菊旗得以攜往南極，莊春發、何光明及許恆銘兄等亦提供其寶貴的意件，尤其海洋文教基金會的林文華兄極熱忱地在自電腦作業、尋求協助和提供相關資訊……等等大小事務給了我這位久不在原鄉、不熟悉本地事務者莫大的助力。

承蒙陳鎮東教授、戴寶村教授、廖中山教授及董芳苑教授等4位學術先進的嘉許與厚愛為本書作序，令人難忘的是其中有本人這趟回國後方認識者，甚至有至今仍未謀面的。而新觀念月刊的郭承豐社長與主編劉湘吟小姐熱忱地在其今年之2月號予本書先作專文介紹─給本人極大的精神鼓勵。董芳苑教授夫婦在我回國後的關懷與我的家人之長期支持亦助益良多。

最後，如無台中晨星出版社陳銘民社長之青睞及編輯團隊的協力，本書將無以順利面世，而陳社長更配合本人的書寫計劃、提撥三個百分比的版稅捐助「海洋台灣基金會」以傳撥「海洋台灣」的國家發展理念令人激賞。當讀者　您購買此書時，除了支持「晨星」出版好書的理念，亦已對前述之事跡作出貢獻而自在本人所感謝之列。

◎海洋台灣基金會標誌

企鵝先生
謹識于　台灣台北
1999年4月22日

11

自序

「南極(台文lânkèk)」，好一個遙遠、陌生的名字！但歷經數百年的海上探險，西方人卻早在百年以前即已登陸，並在那裡活動至今。

有多項原因促使筆者大膽地以粗淺的南極經歷來編寫這本書，其中有以下六點：

1. 筆者於1996年初探訪早期探險者遺留下來之南極古屋時所目睹的一景一物，如在斜陽與寒風下，頸上掛著長鐵鍊且仍完整的哈斯基狗遺骸（見第14頁）、作為燃料與取暖之用的成堆腥臭的動物油酯、各有名字的馬廄和極為簡陋的用品等（另詳見第二十章）一著實令人讚嘆「海洋文化」的偉大，再加上數個月後於此地經網頁知道『海洋台灣文教基金會』的網頁在推廣『海洋台灣』之國家發展理念。

2. 一個西洋年輕人可以在南極船遊的日誌上寫出那樣有深度的感言（見第31頁），而我們卻質疑：「那裡冷得要命，會有什麼好玩的？」甚至劈頭即問：「那裡有什麼好吃的？」

3. 台灣四面環繞溫暖的海洋，是個十足的海洋國家，但我們近海而不認識海，絕大多數人沒有水上活動的經驗，教科書、書店及圖書館沒有水上活動的出版品，更無「南極」圖書，且國人在南極舞台上之活動極其有限。

4. 西方人在500年前即開始從事南極海上探險，在一百多年前即已登上南極大陸，且早已從遠洋海上探險跨入太空探險：由南極科學研究活動中之高空大氣研究導致的人造衛星發射，進而的登月成功，到明年將是30週年，且火星已在一年多前已被登陸。第一代的太空站已運作十多年，而第二代的太空站研究計劃亦已展開。

5. 筆者在人口只有350萬的紐國認識一位厭倦了醫生的生活而轉行之歷史學家，他在南島西南角相當知名，且近年來為聯合國教科文組織（UNESCO）劃為世界傳承（World Heritage）地區之密弗（Milford）國家公園作了二十多年的田野調查，且寫了二十多本書，並都能賣出去，直至今前述工作仍在不斷地進行。

6. 近年來，在地狹人稠、特殊的「務虛」文化及「一切向錢看」之體制下，大自然環境遭受極度破壞的台灣經一波波的「大自然反撲」已窘態畢出，而更嚴重的事故將可預見。

這是一本「圖文並茂」且為「第一本中文的南極綜合介紹書籍」，希望其能適合各階層之讀者，且提供從學生、一般成人、南極旅者及各公共事務決策者的參考。筆者將本書分成「自然事務」與「人文事務」二大部份，前者介紹神祕之南極大陸的自然與地理之謎，後者則蒐錄人類如何將那些知識挖掘出來的動力與過程和其他的人文活動包括南極的發現與探險史概要、政治與科學研究活動、、等，筆者以為它具有許多值得我們學習的「南極智慧」，尤其是：

1. 海洋文化

2. 科學務實精神

3. 全球環境變遷（Global Change）——是南極科學研究中的主要一環近年來人們極關注的環境科學議題。另在最後一章綜合那些促使筆者編寫此書的理由為架構，以一個「反思性」且包含有「公共事務提議」的「從南極看台灣」作結尾。這是筆者在與南極素有特殊的地理與歷史淵源的紐西蘭一住十年當中，有幸因工作的關係能接觸到南極事務，加上因激起的興致而進一步投入所積累的一點小成果，而作為帶回國響應前述前瞻性之「海洋台灣」的國家發展理念之小禮物。

本書的南極地圖上端均以東經121度大致對準台灣玉山的方位而製作。另由於，一則南極之自然條件極為嚴酷因而極為艱辛，甚至需冒生命的危險；二則一年當中人們真正能在南極從事戶外活動的時間極為有限；三則因前述理由及其地處偏遠所致作業費用極度昂貴；四則南極事務之涵蓋領域極為廣泛等，本書珍貴的影像來自約20個出處，並非本人所有，光找其源頭便曾煞費周章，甚至亦有因一張授權使用狀而費了九牛二虎之力，而在自拍者之中，筆者甚且曾因風聞難得探訪某港的某大研究船即將南下作業，而及時趕抵其停泊處，並潛入管制區以長鏡頭搶拍而得。另在編寫部份需作大量的資料蒐集與查尋（傳真與尤其 E mail），筆者曾有在近一年的期間內幾乎連續每天工作8

13

到10甚至12小時，只因為想儘早完成它。

　　在本書的「自然事務」中，涉及地理、地質、物理、生物、化學、海洋、醫學、氣象、天文及環境等各種科學；而「人文事務」中，光是人名及地名便遷涉東加、葡、荷、西、英、俄、德、日、韓、挪及瑞典等語文，筆者才疏學淺但求拋磚引玉，祈請先進們不吝指正，尤其對最後一章所提，有助於使我國跨世紀邁向真正的現代化國家之公共事務政策的提議，望能大力促成。

企鵝先生（Mr. Penguin）

1998年10月29日

誌于 紐西蘭國 奧克蘭市

E mail：lankek@yahoo.com

哈斯基狗遺骸（作者）

目錄 Expedition To Antarctica

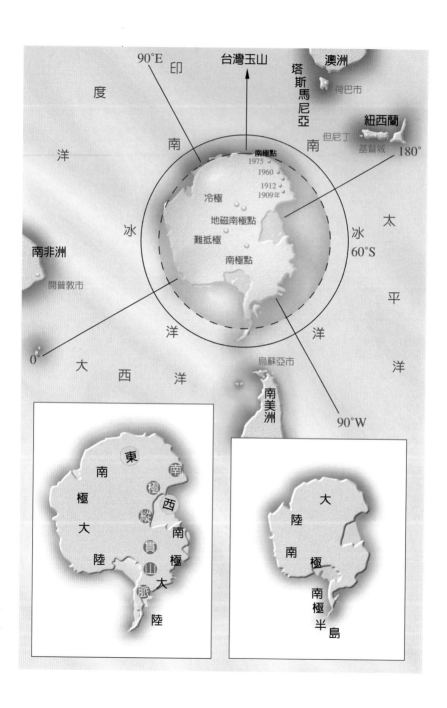

90°E　印

度

洋　南

冰

南非洲

開普敦市

0°　大　西　洋

台灣玉山

塔
斯
馬
尼
亞

澳洲

荷巴市

紐西蘭

但尼丁

基督城　180°

南

南極點

1975
1960
1912
1909年

冷極

地磁南極點

難抵極

南極點

冰
60°S

太

平

洋

烏蘇亞市

南
美
洲

90°W

東

南

極

西

極　縱

雲　南

山　極

脈　大

南　陸

極

大

陸

大

陸

南

極

南極

半

島

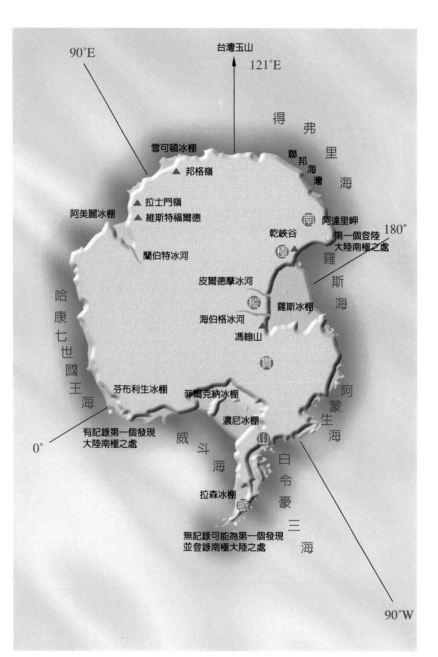

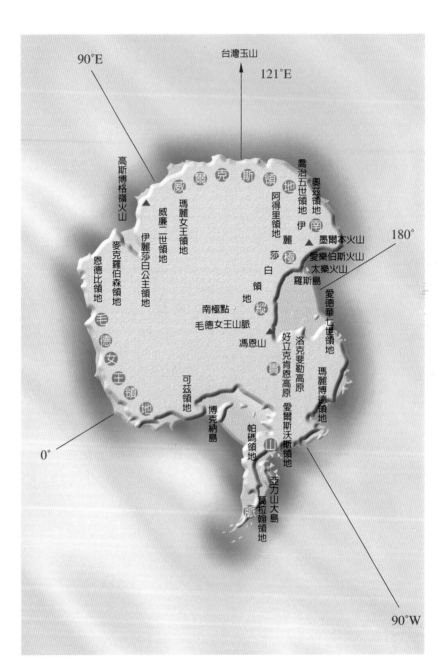

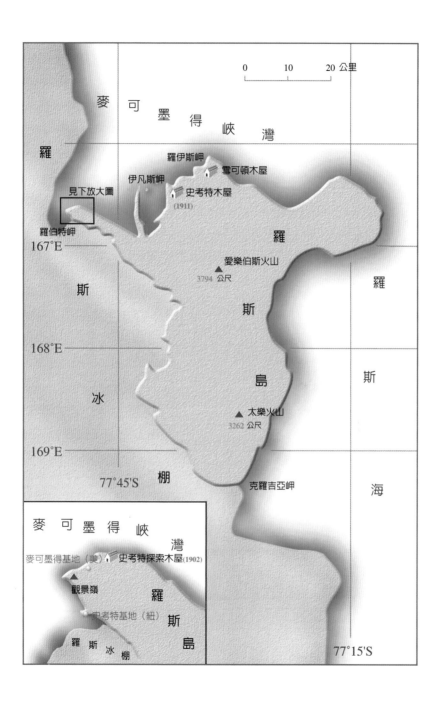

麥 可 墨 得 峽 灣

0   10   20 公里

羅伊斯岬
雪可頓木屋
伊凡斯岬
史考特木屋
(1911)

見下放大圖

羅伯特岬

羅

167°E

斯

愛樂伯斯火山
3794 公尺

羅

斯

島

斯

冰

168°E

169°E

太樂火山
3262 公尺

77°45'S

棚

克羅吉亞岬

海

麥 可 墨 得 峽

灣

麥可墨得基地（美）
史考特探索木屋(1902)

觀景嶺

羅

史考特基地（紐）

斯

島

羅 斯 冰 棚

77°15'S

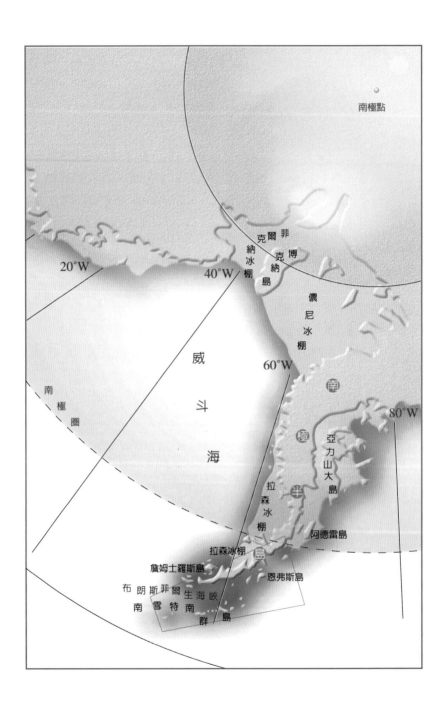

南極點

菲
爾
克
納
島
克
納
冰
棚
博
克
納
島

農
尼
冰
棚

20°W

40°W

60°W

80°W

威
爾
海

南
極
圈

亞
力
山
大
島

幸
極
半

拉
森
冰
棚

阿德雷島

拉森冰棚

詹姆士羅斯島

恩弗斯島

布 朗斯菲爾生海峽
南 雪 特 南
群 島

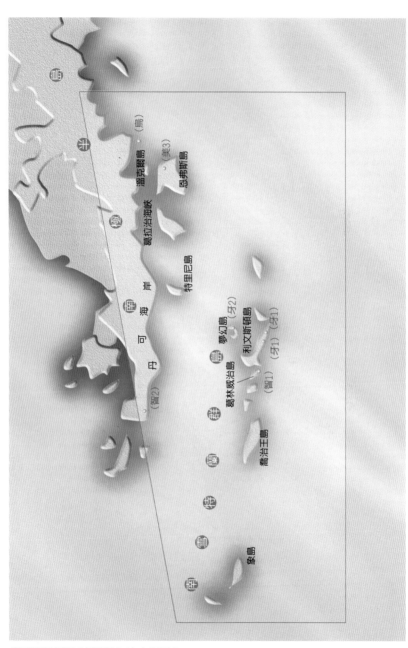

丹可海岸

葛拉治海峽

溫克爾島・(烏)

恩弗斯島

特里尼島

丹

可

海

岸

葛拉治海峽

夢幻島 (另2)

葛林威治島

利文斯頓島 (另1)(另1)

(智2)

喬治王島

象島

（括弧所指是科學研究站之編號）

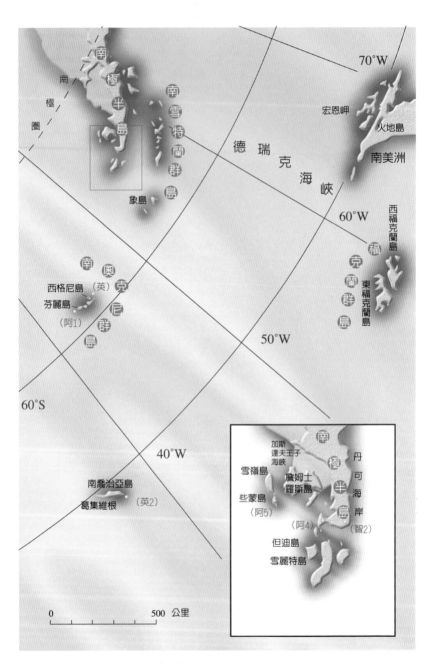

南極半島

南極圈

南雪特蘭群島

象島

德瑞克海峽

宏恩岬

火地島

南美洲

70°W

60°W

西福克蘭島

福克蘭群島

東福克蘭島

50°W

南奧克尼群島

西格尼島 （英）
芬麗島
（阿1）

60°S

40°W

南喬治亞島
葛集維根 （英2）

加斯
達夫王子
海峽

雪嶺島

些蒙島

詹姆士
羅斯島

（阿5）

（阿4）

南極半島

丹可海岸

（智2）

但迪島
雪麗特島

0   500 公里

（括弧所指是科學研究站之編號）

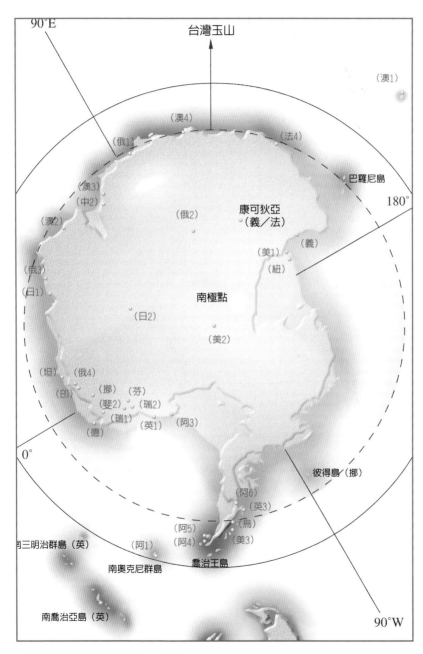

（括弧所指是科學研究站之編號）

南極點(Antartica New Zealand）

南極大陸——世界公園 簡介 *1*

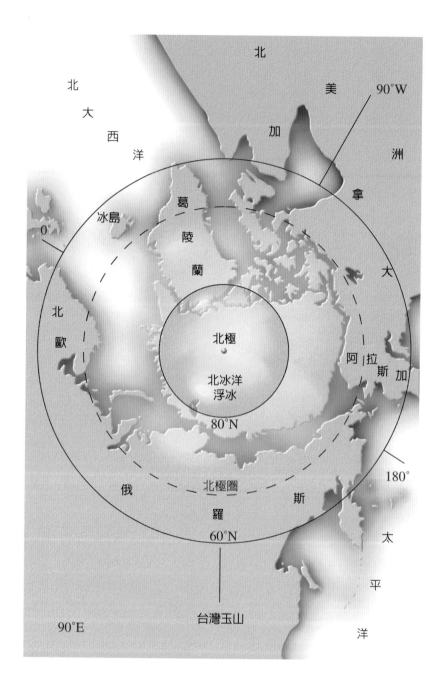

北

北美洲

90°W

加拿大

北大西洋

冰島

葛陵蘭

0°

北歐

北極

北冰洋
浮冰

80°N

大

阿拉斯加

俄羅斯

北極圈

60°N

斯

180°

太平洋

90°E

台灣玉山

南極大陸簡介

南極大陸是地球上最具大自然風貌的陸地，亦為一個知識的寶庫，其對全球的天候型態扮演著巨大的樞紐角色而為一個破壞不得的陸地，現今整個南極地區已被劃為「世界公園」。

位置表示法

本書以E、W、S、N字母分別表示東、西、南、北，而80°32′18″S及50°25′E則分別表示南緯80度32分18秒與東經50度25分，其餘類推。另1(經緯)度=60分，1分=60秒。

速度單位

本書主要使用公制單位，而『節(Knot)』為海事上廣泛被用作風、航行或洋流之速度單位，其換算關係為：1節＝1浬/小時＝1.853公里/小時。

名詞解釋

1南極大陸(Antarctica/Antarctic Continent)

南極大陸可分為：南極半島與大陸南極(Continental Antarctica)，後者係指南極半島以外的南極大陸；或分為：東南極大陸與西南極大陸(見35第頁)。

2.南極地區(Antarctic Region)

南極地區是指位於60°S以南之廣大地區，包括南極大陸、環繞其四周的南冰洋及島嶼，它約佔有全球面積的十分之一。

3.南極圈(Antarctic Circle)

南極圈是指66°30′S的一個極圈，詳見第62頁。

4.亞南極地區(Subantarctic Region)

亞南極地區是指南極匯流圈(見第41頁)附近地區。

中文裡的「南極」有「廣義」與「狹義」之分：前者意為「南極地區」，如「南極旅遊」應指「南極地區旅遊」，因它不只探訪南極大陸；而後者則指「南極大陸」，如「登陸南極」意為「登陸南極大陸」。

南極大陸簡介

南極與北極地區正好相反，後者是陸地圍繞海洋——北冰洋；前者則為海洋圍繞著陸地——南極大陸。北極地區是一個大海盆，上面是一片平均厚度約為3公尺的大浮冰，四周被數個國

家之陸地包圍；而南極大陸則由寬、深及充滿浮冰和冰山的南冰洋與其他陸地隔離。惟兩者都處在地球的南北極地，分別在地球自轉的南北軸心之極點上。

南極大陸面積有1366萬1000平方公里，約佔世界陸地面積的10%。它約是澳洲的1.8倍、美國的1.5倍或台灣的380倍，爲世界第五大陸塊。

	亞洲	非洲	北美洲	南美洲	南極大陸
面積	4450	3030.2	2424.1	1773.9	1366.1
排名	1	2	3	4	5
	歐洲	美國	澳洲	台灣	
面積	995.7	937.3	768.7	3.6	
排名	6				

（面積單位：萬平方公里）

南極大陸像個大黃貂魚而大致呈圓型狀，其直徑約爲4500公里。它亦是最爲偏遠的大陸，離最近的南美洲約有1000公里，而與紐西蘭、澳洲之塔斯馬尼亞島及南非洲分別約有2500、2720及3800公里之距離。

南極大陸之平均海拔爲2300公尺是最高的大陸，與北美洲的720公尺及澳洲的340公尺高出甚多，而其南極縱貫山脈有多座超過4000公尺高的山峰。

南極大陸是地球上最冷的陸地，其夏日平均溫度在0℃左右到-25℃之間，冬日則爲-10℃到-59℃之間。位於南極高原（Polar Plateau）的俄羅斯之東方科學研究基地更有-91℃之最低溫記錄。在這種低溫之下，錫和一般鋼鐵掉落到地上會分別碎成小顆粒或可能像玻璃一樣碎裂，而燃燒的蠟燭火焰四周也一直會被結凍的臘牆圍繞。另由於水銀在-39℃即結凍，因此在南極大陸通常使用酒精溫度計。

南極大陸亦是地球上風最大的陸地，冬天時，其陣風時速可達160公里甚至曾有320公里的紀錄。它更是最乾燥的陸地，大陸南極與南極半島分別約只有相當於50與500公厘之雨水的平均降雪量。

南極大陸是地球上積冰及淡水最多的陸地，其冰帽之平均厚度約在2700公尺而蓄積有地球上90%的冰及70%的淡水儲量。

南極大陸上有5個極點：

1.南極點(South Pole)

它位於90°S，係「南地軸點」——即地球自轉的南軸心點，其全名爲「地理南極點(South

南極大陸簡介

為2831公尺。它並不是指南針所指之點，也不是最冷的地方，其年平均溫度為-50℃比北極點的-18℃低得多。

由於南極點剛好位在一小冰河上，其陸標每年會依43°W方向移位約10公里，每年需重新測量其位置與標示。而事實上，另有一叫「儀式用南極點(Ceremonial South Pole)」之陸標，它與真正的南極點相距一百多公尺且由插在地上之南極條約12個原簽約國(見

儀式用南極點(S. Bolton/Antarctica New Zealand)

Geographic Pole)」，在那裡任何一個水平方向均是北方。它離最近的海岸約有1235公里，海拔約

第201頁)國旗環繞，係作為儀式及照相留念之用。

2.地磁南極點
(South Geomagnetic Pole)

地球的地磁軸線並不與「南北極點」軸線或地軸重疊，其間有11°之傾斜角。位於78°28′S,106°49′E之「地磁南極點」，並不是地磁束最密、地磁場最強的南地磁極點，因而也不是指南針所指之點。地磁北極點與它是太陽風帶來的電磁束進出地球之處，以其為中心之一個範圍的天空即是南極光發生的所在。

3.南磁點
(South Magnetic Pole)

它是地磁束最密、地磁場最強的南地磁極點，是為指南針所指之點亦是個會移動位置的極點(見第66頁)，現在位於面向澳洲之南極大陸海岸附近的聯邦海灣海底，其1996年之位置約在65°S,139°E，離南極點與地磁南極點分別約有2900及1280公里。

4.難抵極
(The Pole of Inaccessibility)

它亦位於南極高原上，為陸路交通離南極大陸四周海岸最遠、最不易及之極點。其位置在82°6′S, 54°58′E，離南極點約有880公里。

5.冷極(The Pole of Cold)

前述俄國的東方科學研究站有南極大陸上最低溫之記錄，因此那裡被稱為「冷極」。

南極世界公園

表面上南極大陸是一塊「荒地」，環繞其四周的海洋充滿著冰、風、雪、冷。人類如無外界支援根本無法立足，除了科學研究基地裡定期替換的工作人員外，相對於北極地區有超過100萬人口的原住民及現代聚落，南極地區則沒有任何住民(*1)與聚落。

雖然如此，但南極大陸是地球上極富「自然之美(Nature Beauty)」的地方：它有獨一無二壯闊橫亙的山脈、冰棚(見第49頁)、巧奪天工的冰山與豐富的野生動物——世界2/3的海豹、約100萬條鯨魚、數百萬各種海鳥以及約8000萬隻可愛的企鵝，這些企鵝更為人們印象中的南極標記，它是地球上「最後一個未受破壞的陸地(The last unsullied continent)」。

南極大陸雖然有嚴酷的自然環境，但卻是地球上僅存之「最由大自然力量主宰的陸地」——

是富有「海洋精神」的人們眼中之「最後一個具有大自然原始風貌與潛藏巨力的陸地」。500年前人們便開始使用極簡陋的設備展開一連串的尋找探險活動；而晚近有一位紐國十幾歲的青年羅斯（Aaron Russ），在其南極船的行船日誌上曾有這麼一段讓人引起共鳴的感言，原文抄錄如下：

Antarctica is a continent of power -- so immense in all respects that once under its influence you can not resist it. It will capture you with its beauty and majesty as it did with those early explorers Charcot, Scott, Shackleton, Amundsen and Mawson. who were drawn back to it again and again to experience something which is yet to be adequately described by any person.

譯述如下：

南極大陸是一個在各方面潛藏巨力的陸地，一旦受了它的影響，您將無法抗拒，您將被它的美及宏偉所吸引。正如早期的探險家夏爾科、史考特、雪可頓、阿蒙生及墨生（*2）等一樣，他們被吸引著一次又一次地前去體驗那些仍未被人們貼切地描述的事務。

南極大陸亦是個「知識的寶庫」，它是一個「科學的陸地」。南極大陸在全球熱能之交換上扮演著極為重要的角色，它是影響全球洋流、天候型態以及包括我們所期望之「風調雨順」……等生態環境之巨大的樞紐，因此，它更是一個「破壞不得的陸地」。

南極大陸亦是唯一沒有警察、法官與監獄的陸地，它是一個「和平的陸地」，整個南極地區已在1991年被劃為「世界公園」。（見第204頁）

附註

(*1)阿根廷曾特地將一孕婦送往其南極研究基地生產(見第222頁)，這位在1978年1月7日第1位出生於南極大陸的「帕瑪(Emilio Palma)」，或許可以算是南極大陸的第1個公民吧！

(*2)他們是有名的早期南極探險家，分別詳見第10及11章之探險選錄第26/28、22/30、22/27/34/35、21/29及33/38。

乾峡谷（C.Rudge/Antarctica New Zealand）

南極大陸的形成與地質　2

南極大陸原為一稱作剛瓦納之大陸塊的一部份，它是個多岩石的陸地，其最古老的岩層，可達約30億年以上。其有數個知名的無冰地區極富科學研究價值。

南極大陸的形成

1912年，德國的氣象學家華格那(Alfred L. Wegener)即提出一「大陸板塊漂流理論」。他認為原本在地球南面有一稱作「剛瓦納(Gondwana)」之超級大陸塊(Supercontinent)，其包括今日之南極大陸、澳洲、紐西蘭、非洲、南美洲及印度 (見圖)。

今日的地質學家認為：大約在1億800萬年以前，該剛瓦納大陸塊開始慢慢分裂漂離而形成今日以上之各大陸、亞南極陸塊及島嶼等，而南極大陸約在4500萬年前漂流到南極點附近成型，且環繞四周強烈的南冰洋洋流將其與較暖的北方海洋分隔，而開始極劇冰凍成為所謂的「冰川凍土」之地。紐西蘭及澳洲約

剛瓦納大陸塊
（義大利南極科學研究計畫PNRA）

在9600萬年前才最後一個從剛瓦納分裂出來；而今各陸地仍然以每年1至6公分的速度在繼續漂離。

科學家們曾分別於以上所述陸地發現同樣之岩石、礦物、動植物化石甚至海底陸地的地磁型態。如於南極大陸之恩德比領地(Enderby Land)之海岸一帶與印度半島東岸及斯利蘭卡一帶有極為相同之結晶岩。紐西蘭、澳洲之塔斯馬尼亞及南美洲的阿根廷發現同樣的櫸樹林。而在今日南極大陸上之南極縱貫山脈可發現與澳洲、紐西蘭、印度、南美及

櫸木化石 （Int'l Antarctica Centre,NZ）

南極大陸的形成與地質

南非有相同的動植物化石。另外便是在上述不同陸地當冰河退卻後，可發現來自3億5000萬年前之冰河時期所遺留下來之相同的沉澱物。

南極大陸的地質

由於只有總面積約0.4%左右的南極大陸地表是暴露在外而未被冰帽覆蓋，使得直接對它的地質研究較為困難。惟透過近代的遙控探測技術，如無線回應感測，得以間接地揭開深厚的冰帽之下的南極大陸地質之真相，已知它是個多岩石的陸地。

另由於南極大陸的冷與乾使得其岩石的風化過程極為緩慢，故在那裡的土壤極為有限且其年代極為久遠。它通常含有較高的鹽份，除非在濱海地區的動物棲息處含有鳥糞土，由於缺乏有機物，因此大都極為貧瘠，在地質學上是屬於「原始的」土壤。海岸地帶較「溫暖」，其地下1公尺處可能達4°C且較濕又多動物活動，故有較多土壤並含有腐植質。

在南極大陸上有些土壤係在地表之下永遠結凍的，其名為「永凍土(Permafrost)」。

《南極縱貫山脈(Transantarctic Mountains)》

南極縱貫山脈橫亙整個南極半島而向西延續到大陸南極位於羅斯(Ross)海域西側之維多利亞領地(Victoria Land)，其長度約有3500公里。它係約在4500萬年前突出地表造山而成，有海拔4000公尺的山峰多座。其中最高峰的文生山(*1)突出冰帽而為4897公尺，與其鄰近之另4座超過4500公尺之山峰——4852公尺的泰立(Tyree)山、4667公尺的錫恩(Shinn)山、4587公尺的佳得那(Gardner)山與4520公尺的艾柏利(Epperly)山一起被稱為「文生山群(Vinson Massif)」。

南極縱貫山脈的淺色岩石為砂岩，深色的為粗玄武岩，而在前者中含有磁性碎片而提供了有關剛瓦那大陸塊在數億年前之位置的信息。另其一部份岩層係由5到6億年未改變的沉積物所組成，並含有在其他陸地也可發現的動植物化石。

東南極大陸與西南極大陸

南極縱貫山脈將南極大陸分隔成兩部份：東南極大陸(East

Antarctica)與西南極大陸(West Antarctica)或稱小南極大陸 (Lesser Antarctica)與大南極大陸(Greater Antarctica)。

東南極大陸之岩石屬古地質代之結晶岩，其較堅硬而無化石，年齡至少有30億年，而已知在其恩得比領地一帶有南極大陸最古老的岩石——39.3億年；他們與澳洲西部已知地球最古老之43億年的岩石接近。東南極大陸之岩層的平均高度接近海平面。

而西南極大陸之岩石則較年輕，約為7億年。它係由次冰河盆地及山巒島嶼群組成的淺海地區，而由威斗(Weddell)、白令豪山(Bellingshausen)及羅斯等海盆所分隔；該地區有極複雜之沉積和火山活動歷史。西南極大陸之岩層的平均海拔為海平面以下約440公尺。

南極半島

南極半島原為南美洲的延伸，它與其之安迪斯(Andes)山脈有極近似的地質狀況，其含有火山弧侵蝕的遺跡而多沉積岩。它的西海岸地區天候較不嚴酷，故有較多土壤且其年代較年輕。又因其有較多野生動物之活動，所以它含有豐富的腐植質。

無冰地區(Deglaciated Valleys / Oases)

南極大陸有20多個極特殊的無冰地區，其中有4處知名者在東南極大陸之海岸地區：乾峽谷(Dry Valleys)、邦格嶺(Bunger Hills)、拉士門嶺(Larsemann Hills)及維斯特福爾得嶺(Vestfold Hills)。

最大的乾峽谷位於羅斯海域的麥可墨得(McMurdo)峽灣西岸附近，其面積約在2860平方公里。由於南極縱貫山脈的高聳突起，其每年挺高的速度比冰河橫過的速度還快而阻絕了積冰從極地高原流向乾峽谷。該地區每年原極為有限的降雪量，再加上來自極地高原之極乾而冷的強風，時速經常可達100公里且溼度常只在10%以下，使得它更為乾燥而成為長久以來一直沒有冰雪覆蓋的地方。

乾峽谷之斜坡充滿了砂岩、粗粒玄武岩(Dolerite)及偶而可見的火山岩等被長期風化及蝕刻的特殊岩石外貌，並只有少量且乾燥的土壤。

該地區曾被美國的太空總署

南極大陸的形成與地質

(NASA)作爲登陸火星前最佳的模擬研究場所。

南極的火山

在剛瓦那大陸塊開始分裂漂離時，亦伴隨火山活動，使過去的南極大陸曾有多達約70個火山。

今日其火山主要在西南極地區，位於島嶼上的有緊鄰南極半島西側之南雪特蘭(South Shetland)群島(見第106頁)中的布拉本特(Brabant)島、布里吉門(Bridgeman)島及夢幻(Deception)島均爲火山島，尤其後者最近曾在1967到1970年間爆發。拜爾領地海岸之塞婆(Siple)島上有高3110公尺的塞婆火山。另爲羅斯島上海拔3794公尺的愛樂伯斯(Erebus)火山，其火山口有世界上少有的「岩漿湖(Lava Lake)」──直徑約爲800公尺而深度約爲270公尺，它是南極大陸有名的陸標，亦是全球最南的火山。其旁邊的太樂(Terror)火山高3262公尺，爲一死火山。

位在南極大陸上的則有1個位於維多利亞領地之南極縱貫山脈上高2733公尺的墨爾本(Melbourne)火山，其山頂有蒸氣口。另在東南極大陸有1個奇特的小火山──直徑1公里、高約400公尺且其岩漿有高濃度之鉀元素含量的高斯伯格(Gaussberg)嶺。

南極大陸的礦藏

由於南極大陸的礦脈被深埋在冰帽之下，只有少數的蘊藏被發現，但初步估計有500億桶石油、另外還有煤、銅、鐵、鈾、鈰及其他貴金屬之儲藏。已知在南極半島北端之詹姆士羅斯(James Ross)島的有石油氣蘊藏、東南極大陸的查爾斯王子(Princess Charles)山脈有初級之鐵礦，而南極縱貫山脈則可能有世界最大量的初級煤礦蘊藏，另杜福克山群(Dufek Massif)則有鈰及鎘的發現。

附註

(*1)文生山：係美國為紀念其喬治亞州國會議員文生(Carl G. Vinson)在1935/61年間對其南極探險活動之大力支持而得名，它離南極點約有966公里。

37

南冰洋（作者）

南冰洋 3

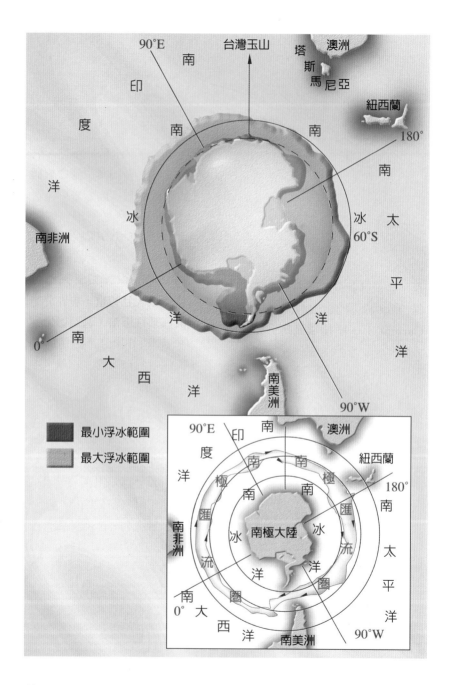

90°E
台灣玉山
塔斯馬尼亞
澳洲
紐西蘭
180°
南印度洋
南冰洋
南
南
南
60°S
南太平洋
南非洲
0°
南大西洋
90°W
南美洲

■ 最小浮冰範圍
■ 最大浮冰範圍

90°E
印度洋
南
南極匯流圈
澳洲
紐西蘭
180°
南
南非洲
南
南
冰洋
南極大陸
冰洋
南極匯流圈
南太平洋
0°
大西洋
南美洲
90°W

南冰洋

40

南冰洋是個多暴風及世界最有活動力的海洋，它有世界最大的洋流而攜帶著世界最冷、密度最高之海水，其對全球之洋流及天候型態佔有巨大的樞紐角色。

環繞南極大陸四周的海洋叫「南冰洋(Southern Ocean或Antarctic Ocean)」，它是世界最有活動力的海洋。

南極匯流圈
(Antarctic Convergence)

來自南極大陸四周冷且因冰山的融化所造成較不鹹的強烈南冰洋流會向北擴散流動，在強烈的西風(因地球自西向東自轉)推送下會使其折向東北方向，這便是「南極環流(Circumpolar Current)」。南極環流是世界最大的洋流，它有世界最冷及密度最高的海水，且可深達相當之底層，其表層(可達數百公尺)之平均流動速度可超過1節，是個極為強力的洋流。

向北流動的南極環流約在47°到60°S之間與來自北方之大西洋、太平洋及印度洋等較鹹的暖洋流交匯，該交匯處便在南半球之洋面形成一叫作「南極匯流圈」或「南極流鋒(Polar Front)」。它是南北冷熱表層海水的分界——夏天時，平均水溫分別為7.8°C及3.9°C；冬天則為2.8°C與1.1°C。這個分界眼睛看不見，它因全球天候之變換其位置會有異動，自北向南航行的船隻會在通過該界線時，察覺到水溫的陡降。它亦是南極地區的生態界線。

交匯後的南極環流因為較冷、密度較大且較重，會在北方之暖流底部往下潛，甚至影響到離南極海岸2000公里之遙的海洋，因而自然巨大地左右著全球天候型態之變化。

南冰洋的界線與海域

許多舊地圖並未將「南冰洋」和與其相連的大西洋、太平洋及印度洋分隔並標示出來，近年來新地圖則已將其清楚的標示。至於對南冰洋之北界的看法雖有些分歧，但大都同意以「南極匯流圈」作為其與大西洋、太平洋及印度洋之分界。

南冰洋可分為數個海域：威斗海、史考提亞(Scotia)海、哈康

國王七世(King Haakon VII)海、得弗里(Dumont d'Urville)、羅斯海、阿蒙生(Amundsen)海、白令豪山海及德瑞克海峽(Drake Passage)。它們均因早期之探險活動而得名，其中第二及第三者來自船隻與挪威國王之名，其他則來自探險家的名字(見第10章)。而最後是位於南極半島與南美洲大陸間的「德瑞克海峽」，雖是南冰洋最狹窄的海域，其寬度也達到約1100公里，在那裡，由於寬度縮小使得原已強烈之洋流變得更為強烈，船隻航越該處極為艱險。

南冰洋的特色

南冰洋是一片極為特殊的海域：

1.它佔全球海洋總面積的十分之一，其東西橫向360°連續環繞覆蓋著南半球之部份地表，不受任何陸地阻隔而中斷。

2.它有全球最冷及密度最高的海水，使得其中溶解較多的氣體而利於其海洋動物的呼吸與植物的光合作用，因此，造就其成為具有極豐富的食物鏈底層之微生物的海洋。

3.它與其北疆接壤的大西洋、太平洋及印度洋有相當程度的洋流交融，包括其中之養分、熱能、氧氣及二氧化碳之緩慢漸進的交換，使它在全球的生態、

洋流及天候型態之變化機制中佔有極重要的樞紐地位。

　4.它是個風高浪急並常有風暴的海洋(詳見第59頁)。

洶湧的南冰洋（作者）

冰洞（S.Bolton／Antarctica New Zealand）

南極的冰

南極大陸有99.6%的地表被冰帽所覆蓋，它是個全球熱能的調節器而極度地左右著世界之天候型態。

南極大陸的冰帽

當南極縱貫山脈在4500萬年前形成時，伴隨冰河的發生而在其附近先形成小冰帽，然後擴散積累在整個南極大陸上而使得約在1500萬年前形成了長期極冷不融的「萬年雪(Firn)」之大冰帽。

現今南極大陸表面有99.6%被冰帽所覆蓋，面積約在1360萬6300平方公里，它約佔有全球之積冰總儲量的90%，其平均厚度約為2700公尺，使得南極大陸成為全球海拔最高的陸地──平均海拔2300公尺，為其他陸地的3倍以上(見第28頁)。其中東南極大陸蓄積有約8倍於西南極大陸的積冰，造成它有平均海拔為3100公尺之巨大的「南極高原」，其最高點為3910公尺的甘柏特喜夫(Gambertsev)高地。冰帽厚度範圍約為2400至4700公尺，最厚處位於阿得里領地(Adelie Land)──約在69°S,135°E處，厚度為4776公尺；而俄羅斯之東方研究基地與南極點附近則分別約為3700與2743公尺，海岸地區則較薄。

深厚而重的積冰使得其下的南極大陸下沉；如移去它，東南極大陸約可上升1000公尺而西南極大陸則為500公尺，全球之海水位也將上升約65到70公尺。

南極大陸上的積雪經持續的強風吹颳，再經低溫冰凍會形成高低起伏、堅硬、滑溜且波浪高度可達1.8公尺左右而極為難行的結冰表面，這便是「冰浪(Sastrugi)」。（見第195頁）

在無人類活動之下，南極大陸上之冰帽於長年的積雪過程中夾雜有完整之歷代的各種落塵包括植物花粉、火山灰及塵埃和空氣泡…等，是作生物學及「全球環境變遷(Global Change)」之環境科學研究，包括火山活動、天候變遷、溫室效應及空氣污染…等極為珍貴的「科學檔案資料庫」。

南極大陸的水

雖然南極大陸的冰帽蘊藏著全球淡水儲量的70%，但那裡卻

冰條（M.McRide／Antarctica New Zealand）

汎達湖（C.Rudge/Antarctica New Zealand）

是液態水極為缺乏的地方。在無冰地區倒是有淡水或鹹水的水塘或湖泊，後者如乾峽谷之有名的汎達(Vanda)湖，而前者可以有世界上最新鮮的淡水。湖面受低溫結凍成的冰除可讓日光穿透而很巧妙地扮演著如陽光暖屋之玻璃的角色，並能隔絕熱散使底下之湖水不但不結凍甚至還會蓄積熱量而可能達到35°C。尤其鹹水湖的水中鹽份可高達一般海水的18倍以上，使冰點降為-18°C到-55°C，而在冰下更不易結凍。在短暫的夏季時節，由於該地區之較深色的地表能吸收較多陽光熱能，因此會造就短暫出現

的溪流，可能只約有50公里左右，而後匯入湖泊。

另來自冰帽底下的南極大陸岩層之地熱，會使與其接壤的冰帽融化而形成「冰下湖泊」，已知總數約有79個；其中最大的1個為「東方湖(L. Vostok)」，它在俄國之東方研究基地所在的冰帽底下約4000公尺，其長寬及深度約是224公里×48公里×484公尺。

南極大陸的冰河

當積冰自高處向低處流動便成為冰河，南極大陸為有最多冰河的陸地。

南極的冰

絕大多數冰河長達數公里到數百公里、寬度可達數十公里，而流動的速度每天可達1到2公尺。它們流到冰棚(見後述)或直接匯入海洋成為冰山的源頭。其中皮爾得摩(Beardmore)冰河長200公里、寬23公里，每天流動速度約是1公尺，它位於南極縱貫山脈之高聳的凱波蘭(Kaplan)山(4255公尺)與科克派翠克(Kirk-Patrick)山(4528公尺)之間。流動速度最快的是位於毛德女皇領地(Queen Maud Land)之白瀨(Shirase)冰河，每年約是2公里。而蘭柏特(Lambert)冰河長約有400公里、寬40公里，是世界最大的冰河，南極大陸上約有8%的積冰即經由其入海。

南極大陸的冰河有的可能潛藏在冰帽下，另有少數的冰河因冰融化及被風耗損殆盡而在半途消失匿跡，在「無冰地區」便是如此。有的冰河被山擋住，在那裡常可發現被夾帶下來的隕石。

冰棚(Ice Shelf)

羅斯冰棚（Adventure Associates Pty.,Australia）

經冰河往海洋流下來之大量的冰會在其出海口積累成厚且廣大的浮冰，它會與其附近海岸連成一起，並繼續向外海流動而動態地保持著終年不融的相當面積，這便是「冰棚」。

南極大陸約有1/3的海岸為冰棚，其中最大的是位於西南極的羅斯(Ross)冰棚，面積約為52萬平方公里與法國相當。它係由來自極地高原上的積冰經南極縱貫山脈之3條主要大冰河向較低處之羅斯海匯流而成。其厚度在內陸與臨海端分別可達約1000及100公尺，形成聳立挺直平均為60公尺的海岸線，由於其比早年之帆船桅桿還高而被稱為「大冰障(Great Ice Barrier)」，該冰棚之每年流動速度約為1100至2800公尺。

在東南極則有二個較大者—儂尼(Ronne)冰棚與其緊鄰之菲爾克那(Filchner)冰棚，兩個合起來的面積與羅斯冰棚相近約有47萬平方公里，其內陸及臨海端之厚度分別約為2000與203公尺。另最大的蘭柏特冰河出海口則有一阿美麗(Amery)冰棚。

冰的融化或流動時會使其結構發生折皺而在冰河與冰棚上形成「冰縫(Ice Crevasse)」，其深度可達50公尺以上，寬度通常在20公分到20公尺左右，但往往極為狹窄且表面又常由薄薄一層的「雪橋(Snow Bridge)」所覆蓋，一旦掉入常難以脫身，是陸上交通的最大障礙。

冰山(Iceberg)

向外海流動的冰棚最終將因洋流、潮水或波浪的衝擊使其臨海端漸次裂解而形成「冰山」，漂流入海。通常其漏出海面的部份佔整個體積的20%左右，水面及水下高度分別可達約60及300公尺。大冰山的頂部長度可達數百公尺長，在1987年10月及最近在1995年初分別曾發現有頂部長寬達155公里×35公里及110公里×37公里者。其頂部形狀有：平頂、圓頂及金字塔形。

每年冰山形成的量與全南極大陸之積雪量接近或稍多。經使用人造衛星之鎖定追蹤發現，冰山之壽命可漂流長達約4年、離岸遠達1000公里，然後融化消失。每年形成之冰山的淡水含量相當於人類半年至1年之用水量。

南極的冰

冰山（作者）

冰棚的裂解會將其自上游夾帶下來難得的「南極岩塊」洩入鄰近海域，而其所造成的冰山也在漂流融解後將夾帶的岩塊沉積在各處之南冰洋海底，它們是研究南極地質很好的素材。

海上浮冰(Sea Ice)

在每年8月底入秋後，南冰洋海面會在一個月內結成一半厚度的冰，9、10月左右則是浮冰最廣且最厚的時候，面積可達2000萬平方公里而比南極大陸面積還大，其範圍及分佈每年不一，緯度可及55°S左右，離南極大陸海岸可遠達600到3000公里，而其厚度約在0.92到1.85公尺之間。每年1月之春天起，浮冰逐漸漂流融化而消失，到2月底則是浮冰最少的時候，約只有15%附著在海岸。這其間有近7

51

海上浮冰（作者）

海上浮冰（作者）

倍之差距，是為地球上最大的季節性變遷之自然現象。

　　無冰的洋面約反射5％之陽光，但浮冰則反射高達80％之陽光。當9、10月南冰洋浮冰面積達其極限時，雖然春天亦近，太陽之輻射也在增加，但當時的浮冰卻延緩了南冰洋溫度之回昇。

　　在浮冰之中及浮冰間交錯之處會有無冰覆蓋之海水叫「海冰

鹽分，它會阻礙其結晶化而通常較呈白色，較薄且硬度較低。多年不融的冰，其鹽分會慢慢釋出而結晶化使其顏色轉呈藍色，硬度也變高而成爲「老藍冰(Old Blue Ice)」，破冰船通常避免越過後者之海域。

南極的冰與世界天候

南極大陸之廣大的冰帽像個超級冷凍庫，它是全球極強大的低氣壓及強烈西風之發展中心，其與赤道地區間之巨大溫差自然造成兩者間極大的熱能流動，又其造就之巨大消長的南冰洋浮冰，亦在大氣與海洋之間的熱能交換上扮演極重要的角色，因而共同左右整個南半球甚至全球之天候型態。

因此，南極大陸之廣大的冰帽是一個「全球熱能的調節器」。

海上冰原
（K.Westerskov/Antarctica New Zealand）

穴(Polynya)」，其直徑可能大到100公里以上，是海水熱能的發散口亦爲海洋哺乳動物換氣的地方。

每年新結成的浮冰含有較多

狂暴的南冰洋（張子芸）

南極的天候與時令 5

遠古的「南極大陸」曾有過天候極溫和的時期，而今日它是全球最冷、風最大及最乾燥的陸地。

遠古的「南極大陸」天候

近代南極大陸不乏有遠古之生物化石的出土，它們強力地提供了遠古的南極大陸曾有過天候極為溫和的時期之佐證。

《植物化石》

南極大陸有煤炭的發現，原來那裡曾有大量近似蕨類的舌羊齒屬(Glossopteris)植物生長。另外還有約8000萬年前，長達20公尺及直徑達41公分之針葉樹幹，並有紋理清晰的樹葉之木化石的出土。

《動物化石》

在南極大陸也發現以前的動物化石，包括古陸地兩棲及爬蟲類如估計是3500萬年前高約2.1公尺不會飛的原始鳥之足骨、4000

貝化石（Antarctica New Zealand）

南極的天候與時令

萬年前的鯨魚和海豚、6700萬年前的鴨嘴恐龍(Hadrosaur)的牙齒、7500萬年前之草食性恐龍的肢體、1億年前之肉食性恐龍肢體、一種海洋爬蟲類——蛇頸龍(Plesiosaur)之頭骨、軟體動物、海洋無脊椎動物和一種魚類——淡水龍蝦之顎骨等出土。

今日南極大陸的天候

位於高緯度之今日的南極大陸，其每年原本就只有極少量的陽光熱能可以到達，而覆蓋其上之廣大白色冰帽卻又將其反射掉80%，由於失去的總熱能大於吸收到的總熱能，造成它極冷、強風與乾燥的天候特性。

《南極時令》

南極的時令與台灣相反：

春季——8、9、10月
夏季——11、12、1月
秋季——2、3、4月
冬季——5、6、7月

11及12月為南極大陸上每年短暫的期間，其冰帽表面吸收比釋放更多熱能。夏季僅管短暫，但其較他處為長的日照卻使氣溫提昇不少，部份地區（尤其是原冰封的海岸附近）之冰帽及海上浮冰會融化，因而平添不少「南極夏意」——各種野生動物之重返、各種室外之科學研究以及南極旅遊活動也開始上路，使南極地區又季節性的熱鬧了起來。但在每年3月入秋後由於急劇減少的陽光而又恢復成極冷的冬季，一切活動也快速的靜寂下來。

《南極大陸的冷》

在夏季時，南極大陸之平均氣溫範圍：

內陸地區——
約是-15℃到-35℃
海岸地區——
約是-5℃到+5℃甚至+10℃(在乾峽谷)

在冬季時，南極大陸之平均氣溫範圍：

內陸地區——
約是-40℃到-70℃
海岸地區——
約是-15℃到-30℃

從以上可知其內陸地區比海岸地區冷。位於海拔2835公尺，最高緯度之南極點卻不是氣溫最低的地方，其年平均氣溫是-50℃，夏、冬季平均溫度則分別是-21℃及-78℃，它還曾有-16℃之最高溫記錄。同樣位於南極地高原有3488公尺海拔之俄國的東方

研究站之年平均氣溫為-57℃，其最新的最低溫記錄為在1997年冬來的-91℃。近數十年來已成為世界登山者所征服南極之最高峰——文生山，其山頂氣溫為-240℃是地球上最冷的溫度記錄，其年平均氣溫為-129℃，夏日平均氣溫為-117.7℃，相對於聖母峰之-45℃。

《南極大陸的風》

由於南極大陸極為寒冷，其上空經常籠罩著低氣壓，「強風」是其天候特性中之另一個現象。南極大陸有2個極令人生畏的特強強風：南極大風雪與南極下坡風(見第64頁)。

通常風在離海岸數公里的海上極明顯地減緩，但在低氣壓來臨時卻可輕易地出現時速180公里以上的強風，而南極點卻不是風最大的地方，其年平均風速只有每小時22.23公里。

《南極大陸的乾》

南極大陸是個極為乾燥之「寒冷的極地沙漠（Cold Polar Desert）」，每年只有相當於50公釐雨水之平均降雪量，在內陸地區才約只有相當於10公釐雨水之平均降雪量，與有名的非洲之撒哈拉沙漠旗鼓相當。而在無冰地區如乾峽谷，在過去2000萬年來即為南極大陸上沒有冰雪的地方，加上來自附近極地高原之極為乾燥的強風，使其更為乾燥，因而使其成為世界上最乾燥的地方。

沿海地區有稍多的降雪量，尤其在南極半島之西部地區，其北端甚至有相當於900公釐雨水之平均降雪量。

人們對冷的感覺

在人們對冷的感覺反應中，風比低氣溫扮演著更重要之角色。

低溫加上風的吹颳使人們對「冷」有加倍的感覺，因風會加速熱量的流失而讓人覺得更冷，尤其當風的時速在8到60公里之間其影響最大，這便是「風凍效應(Wind-chill Effect)」。

從上表可知：當氣溫為-30℃、風速在每小時47公里時，相當於氣溫-60℃無風時之冷的感覺；而當氣溫為-80℃、風速在每小時21公里時，其風凍效應即為-112.8℃。這說明了在寒冷之極地「颱風」對人們有萬不可輕視的嚴重殺害力。

南極的天候與時令

風凍效應表：

風速 / 氣溫	8 公里/時	21	34	47	60	危險！裸露的肢體在1小時內結凍
10C	8.4	3.3	0.6	-0.6	-1.5	
0	-2.3	-9.6	-13.5	-15.2	-16.5	
-10	-13	-22.5	-27.7	-29.8	-31.5	中度危險！裸露的肢體在1分鐘內結凍
-20	-23.7	-35.6	-41.8	-44.4	-46.5	
-30	-34.4	-48.3	-55.8	-60	-61.5	
-40	-45	-61.2	-70	-73.6	-76.5	
-50	-55.8	-74	-84	-88	-91.5	高度危險！裸露的肢體在半分鐘內結凍
-60	-66.5	-87	-98	-102.8	-106.5	
-70	-77.2	-99.8	-112.2	-117.4	-121.5	
-80	-88	-112.8	-126.3	-132	-136.5	
-90	-98.6	-125.7	-140.4	-146.6	-151.5	

極度危險！裸露的肢體 在數秒鐘內 結凍

因此，低溫、強風與長夜使南極大陸的冬天特別嚴酷。

南冰洋的天候

南冰洋因其表面顏色較深，只反射5% 之陽光，使得它及南極大陸沿海地帶比南極大陸之內陸地區「相對溫暖」，但因受南極大陸的冰帽及地球由西向東自轉的影響，它仍然寒冷且經常颳有強烈的西風，是個出了名經常陰霾且有風暴的海洋。

西方的航海人對它一直流傳著這樣的一個描述——Roaring 40、Furious 50 and Screaming 60，意為：咆哮的40°S、狂暴的50°S與尖叫的60°S。早期的探險家雪可頓(見第141頁)之沃爾斯萊(F. A. Worsley)船長，曾敘述其在威斗海域遭遇12.2到15.2公尺高的大浪，而海流時速更達40公里。即如今日自紐西蘭南下橫越眾斯海的旅程不難遭遇連續5～7天，船舶左右搖熀可達50°之洗禮。

南極大風雪（T.Higham/Antarctica New Zealand）

南極大陸的特殊自然現象

特殊的地理位置使南極大陸有特殊之自然現象，它們除了有趣，亦充滿了科學知識，尤其是南極光與地磁移位。

極為斜射的陽光

由於位處於地球極偏遠的南極點邊陲，即使在夏日時節，陽光仍極為斜射地照射在南極大陸，亦即從日初到日落太陽只在其北邊水平線不高的天空掠過。

永晝、永夜與夏日之午夜陽光

由於地球的自轉軸心與黃道面(地球公轉之軌道面)之傾斜角度，使得南半球每年12月21日的「夏至」前後一段期間在「南極圈」以南地區將24小時曝露在陽光照射之下，這即是「永晝期」，它有日不落的「午夜陽光(Midnight Sun)」而蔚為奇觀。而在南半球每年6月22日的「冬至」前後一段期間，在「南極圈」以南地區將24小時完全遠離在陽光照射之下而造成「永夜期」。每

北極點　地磁北極點
地軸　北
想像中之地磁
南
地磁南極點　南極點

年時序即依此週而復返。

而在「南極圈」與「北極圈(Arctic Circle)」之間地區，「每天」都有日出與日落，亦即「每天」各有日夜區分，沒有永晝與永夜。在「南極圈」之上，每年有1天——6月22日即是「冬至」也是「永夜日」，那天沒有日出太陽不上升過地平線；另每年有1天——12月22日即是「夏至」也是「永晝日」，那天沒有日落(太陽不落入地平線)。

離南極圈愈南的地區，其在冬天時無陽光的日數及在夏天時每天有陽光的日數均愈多，意即其永夜期及永晝期之日數依緯度逐漸增加。在南極點上，每年只有1次日出與日落，其過程是：在每年的3月22日太陽落入地平線以前會有數週的「落日期」，接著是在北邊的地平線天際有數

南極大陸的特殊自然現象

週的「微光期」,其後進入「永夜期」,而在9月22日太陽浮出地平線前後,再以相反的程序轉為「永晝期」。

海市蜃樓(Mirage)

清新而透明度絕佳的空氣使南極大陸在好天氣時有極佳的視線,這本易使人們的距離感縮減,近地面較冷且密度較大的空氣,與上層稍暖、密度較小的空氣層在低斜的陽光下常易發生視線的折射,便造成「海市蜃樓」的幻象。

雪震(Snow Quake)

當廣闊的落雪積累在地面到某個厚度時,由於其漸增的重量加上低溫結凍使其底部原本稀鬆的積雪在一時之間塌陷,視其面積及積雪量之不等可能造成巨大如雷的聲響,這便是「雪震」。

南極大風雪(Antarctic Blizzard)

「南極大風雪」係稍高溫的強風夾雜著飄雪,它可能瞬時發生而連颳數日不止,當其強烈吹颳時會使能見度降低至1公尺之內,甚至讓站立者看不到自己的腳,極易讓人們謎失方向。1989／90年之國際狗拉雪橇橫越南極大陸探險的日本人船津,形容它像「如處在乒乓球內的感覺」(見第186頁)。

南極大風雪 (T.Higham/Antarctica New Zealand)

白矇天 (Whiteout)

南極大陸之雪白世界會造成白化視覺錯亂之「白矇天」現象，它使人無法分辨物與物間的反差與界限，亦會失去天空、地面與地平線之分界及三度空間的感覺。人們不能覺察出地表的高低起伏，亦無法分辨遠近、上下左右位置及深度，而如處在「五里霧」的「科幻白洞中」。飛鳥會在飛行中失去立體定位感而撞到雪地，而飛行員亦可能因此而迷航。

陸上探險者經常需沿途堆製「雪標（ Snow cairn ）」（見圖），使得在一片雪白無際的冰原中易於因其斜射的陽光投影而作標記或利於空中搜救。

雪標Snow cairn

南極下坡風 (Katabatic)

「南極下坡風」係在夏季過後，由內陸寒冷、海拔較高的極地高原上密度較高且低溫的空氣往海拔較低之沿海地區快速流動，並經重力加速的下山風，因此又名「重力風(Gravity Wind)」

。它時伴有奇特的自然景象，如它會突然發生且可能持續數分鐘後突然終止然後又開始，或也可能連颳數天不停，另外它可能伴隨迴捲的雲。

南極下坡風經常在某些固定之地區發生，想必與其位置及地形有密切關係，這些地區便叫作「南極下坡風走廊（ Katabatic Corridor ）」，東南極大陸之聯邦海灣的丹尼森岬（ Cape Denison ）便是其知名者。1911／14年之澳洲探險隊（見第153頁）在那裡曾有過這樣的強風遭遇：時速145公里連續吹颳24個小時、時速172公里連續吹颳8個小時，整個月中每小時的平均風速高達98公里，甚至陣風時速更高至320公里。

高速而持續之南極下坡風可以在暴露的木頭表面上留下颳痕，甚至鐵器的表面，如生鏽的鐵鏈都會被拋光，而重物也會被吹走，它是南極大陸最惡名昭彰的大自然現象。

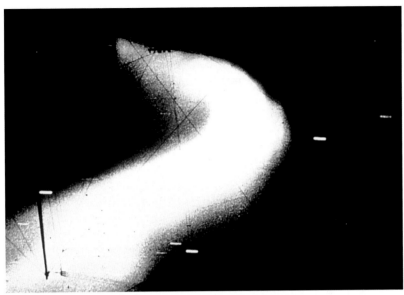

南極光（Antarctica New Zealand）

南極光（Aurora Australis或 Southern Lights）

在南極大陸的夜晚，常會有搖曳或迴旋的彩色光弧與光幕之「南極光」橫越在天空甚至直達天頂──約在100公里以上的高空。其出現、移動與消失極為迅速，可說是曇花一現，其光弧與光幕的形狀也因此變化多端，主要係由綠、粉紅、淡紫、檸檬黃與橘黃等顏色組成。

它的成因是：在太陽球体外圍，每秒鐘約有1000噸極高溫的離子化微粒，會以每秒達400公里左右的高速向外擴散而型成所謂的「太陽風（Solar Wind）」，它會擴散而穿透地球外圍的大氣磁力層（Magnetosphere）到達其「地磁南／北極點」為中心及附近約緯度20°左右上空之大氣層。這些粒子會撞擊並激化大氣分子使其釋放出可見光譜而形成「極光」，其出現之頻率及密度與太陽黑子數目每11年之變化週期有密不可分的關係，它會嚴重地影響通訊。而出現在南極地區的便稱為「南極光」，在北極地區的便稱為「北極光」。

極光之移動迅速且不夠明亮，使感光底片難以完整地描述其美麗與色彩。

地磁極點移位

(Polar Wandering)

這是個複雜的地磁學現象，簡化說明如下：

整個地球是個「磁球」，它並不是內部包覆著一個大地磁棒而只在其南北兩端之「地磁南 / 北極點」有「主地磁束」的星球體，整個南北半球表面也均有「次地磁束」之出入。惟地球內部除最中心部份為固態外，它係由絕大部份液態且極高溫的礦物核心所組成而無法被磁化成具有「強度固定的永久地磁」。它們除了均是動態之外，又均以不同的步調在活動著，使得合成後之地球的「主地磁場」亦產生動態變化。另地球外部地殼原即厚度有別，加上其中較低溫、會被永久磁化的礦物結構又各處不同，因而導致地球表面各處「次地磁場」強弱的不同。由前述這樣的「主 / 次地磁場」合成之後，便在地球南北兩極出現分別取代原「地磁南 / 北極點」而具有地磁束

最密、地磁場最強並且會動態移位的南 / 北地磁點──「南磁點」與「北磁點 (North Magnetic Pole)」(*)。它們分別為吸引指南針與指北針之點，且每年會移位約10至15公里，週期約是960年。

《南磁點之位置》

年　份	位　　置	
1909	72° 24S	155° 18′ E
1986	65° 42.5′ S	138° 48.1′ E
1990	64° 8′ S	138° 8′ E
1993	64° 20′ S	139° 10′ E
1996	65° S	139° E

其實，另一個來自隨時在變化的太陽風之複雜影響，使得南磁點的地磁強度及位置每天、甚至每分每秒都有小幅度的動態變化。

指南針之指向錯亂

由於吸引指南針的南磁點並不位於正南位置之南極點上，除了位處在南極點與北極點間的經線 (即南北方向線) 上，使指南針的南指向正好與該南北方向線重疊而無誤差外，在這以外之任何位置，指南針與其所在的南北

南極大陸的特殊自然現象

方向線（各經線）間便會有一個夾角——「磁偏角（Declination）」，這即為其指向誤差。而在前述無誤差的情況之下，其「磁偏角」為0°。

　　當指南針與南磁點正好處在相同的緯度時，其指向便與緯線（即東西方向線）重疊而有90°（位於南磁點之東時）及270°（位於南磁點之西時）的磁偏角，亦即其所顯示的「南指向」，其實分別為「西向」及「東向」。

　　當指南針位處南磁點與南極點間之經線上時，「磁偏角」將變成180°，亦即其顯示的「南指向」，其實是「北向」。

　　當指南針之位置正好在南磁點時，它則會向下指。筆者在1996年12月1日下午於南極飛行時曾飛越該點，機上的電視銀幕顯示當時機上羅盤因失去磁性水平拉力，而無固定指向地自由旋轉。

附註

(*) 北磁點：其1990年之位置在77°58′N, 102°8′W，即在加拿大北部的巴特斯特島（Bathrust Island）西岸的北極海中。

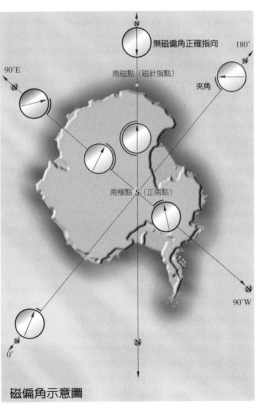

磁偏角示意圖

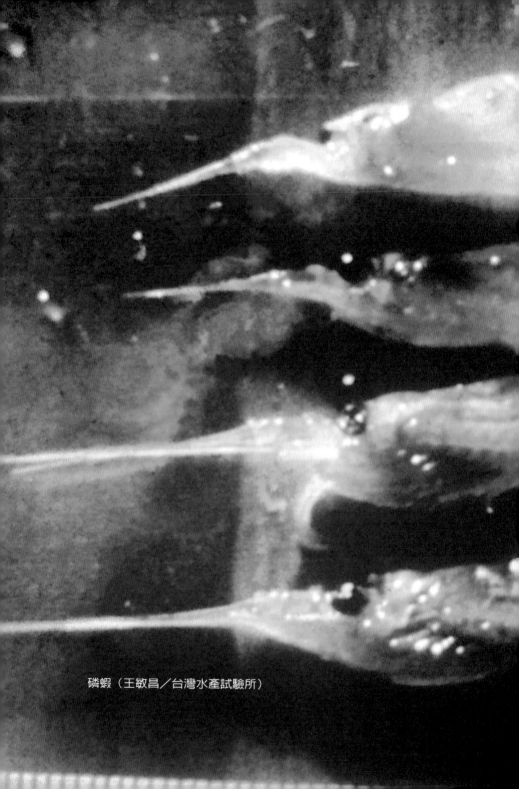

磷蝦（王敏昌／台灣水產試驗所）

南極的生態 7

由於生存條件惡劣，南極地區之各種生物均有其適應的本能，但其生態系統卻極為脆弱。

南極地區之生態環境

1、南極大陸之冰帽覆蓋地區

本地區之生長環境極端惡劣──極低溫、強風、日照變化大及水份極端稀少。但在離南極點數百公里之露出冰帽的山脊（Nunatak）之北坡仍然有少數低等生物的生長。

2、南極大陸之無冰地區

本地區比前者更為乾燥且有限的土壤極為貧瘠，長期以來難有生物的蹤影，惟在一些表面較有裂隙或孔動的岩石，如砂岩、花崗岩及大理岩上仍偶有低等植物的生長。另在那裡之湖泊下方不結凍的水中，仍有微生物能適應該封閉的特殊生態環境。惟怪異的是：在離海岸有40～50公里之乾峽谷地區卻偶而可以發現阿得里企鵝（見第88頁）及在陸上行走不易的食蝦海豹（見第78頁）等高等動物的乾屍。

3、南極大陸之海岸地區

它有較溫和的天候、較多水份及土壤，是南極大陸上最佳的生存環境，尤其是南極半島西岸及附近之島嶼中有最多生物的地區。

4、南冰洋內

在夏天時，深色的南冰洋海面比白色的南極大陸吸收更多的陽光熱能，而冬天時，結了冰的洋面形同一層絕緣，使其下的海水能保持在 -1.8C以上而不結凍（海水的冰點為 -2℃），且其浮冰之空隙內亦提供了小生物的活動空間，即使在冰棚底下仍然有生物的蹤跡。它是南極地區最佳的生存環境，而有極為豐富的生物族群。

在南冰洋中的生物最受影響的是光線而不是溫度。

南極地區之生態

《陸上動物》

只有極少數的低等無脊椎動物能一年到頭生長在南極大陸，他們常由風的吹送或海鳥的運送而從一處移到另一處，已知包括約有51種線蟲（Nematode）、50種蚊蚋（Midge）、28種緩步類（Tardigrade）、20種彈尾目昆蟲（Springtail）、2種雙翅目（Diptera）

南極的生態

以及少數的蟎（Mite）、原生動物（Protozoa）和渦蟲綱昆蟲（Turbellarian）等，牠們大都極密集地生長在海岸之植物群裡，惟其中之小蟲可在離南極點約500公里處露出冰帽的山脊被發現。而由於其體型極小通常需用放大鏡才能看清楚，其中最大的是一種長只約1公分且沒有翅膀的南極百吉卡（Belgica Antarctica）蚊蚋。

《海陸動物》

　　沒有任何高等動物能不依賴南冰洋而完全在南極大陸上活動與繁殖，亦即它們均生長於濱海地區，尤其以較溫暖的南極半島與亞南極島嶼之間最多。特異的帝王企鵝能倚賴先前夏日所吸收保存的熱能而在南極大陸過冬，係惟一種無需作季節性的遷移之高等溫血動物。在南極及亞南極地區之海岸約有7種海豹及8種企鵝，而在南極大陸之海岸活動的則有5種海豹及4種企鵝。

《陸上植物》

　　能終年生長在南極大陸之低等植物種類較多，已知約有300種藻類、200種地衣、85種苔

地衣（R.Seppett/Antarctica New Zealand）

蘚、28種真菌及25種地錢（Liverwort）。其中地衣是南極大陸特有的品種，是地球上最南之處生長的生物。它們通常有艷麗的顏色，使得其生長的雪地形成一片紅、黃、粉紅或綠等繽紛的色彩。有的地衣及藻類可能只生長在岩塊之內的夾層中，在離南極點340公里向陽的山脊也可發現地衣。另有2種較高等的開花植物，它們都只生長在南極半島。

所有南極植物之生長均極為緩慢，經一腳踩踏的植被，需要10年以上才能恢復。

《海洋動物》

南冰洋海水中有各種豐富的動物性浮游生物、魚蝦及較大型的鯨魚。

在浮游動物中，從數量極多的橈足類動物（Copepod）、異腳目動物（Amphipod）、磷蝦目動物（Euphausid）及其他甲殼類動物如蝦、蟹等。其中南極磷蝦（Antarctic Krill）常以極大的數量成群出現，整個海域可能因此而變色──1平方公里可能高達4600公噸，它們是世界上數目最多的動物，其體長約6公分，雜食性

且壽命可達5到8年，而為浮游動物之長壽者。

南冰洋約有14種鯨豚及200種深海魚類，惟與其它海洋比較，其魚類族群的數量較小。魷魚可長達20公尺，只要食物充足及水溫適合就能生長快速，它與鱈魚、冰鯖魚（Mackerel）及磷蝦等為商業捕撈的對象。

南冰洋的海床中有超過3000種海洋生物，包括海蜘蛛、珊瑚、海星、海蝸牛及其它軟體動物等，較多於北極地區。

《海洋植物》

無任何較高等的植物，如海草能在南極大陸之附近海域生長，但南冰洋中有約200種植物性浮游生物、小單細胞植物等。其中有顏色之冰藻可在洋面廣闊地延伸，使海水或浮冰變成粉紅色或棕色，它們可以適應在浮冰底下較少光線的生長環境。

生物的適應

南極地區之生物都具有特異的生存本領以適應嚴酷生存環境，如由於夏日極短使得其生長及活動的時間極為有限，因此，其生物活動週期較短且快，並常有極大的族群，有的甚至採單性

繁殖以及有的則處在冰封的環境中，可以有一段時間不需要氧氣。

在低溫的環境，食物的供應極為季節性，有限的能量需作極妥善的應用。因此，動物們需要比一般還要快的新陳代謝以供應身體之機動力及速度，因為它們需要更多的體力以尋找食物及逃避捕食者的追捕。多餘的則用在其它較不急切方面，如身體的成熟及繁殖器官的成長之能量便相當有限，結果是它們通常較長壽及繁殖較少的後代，如海威可活約100年，海綿則為數百年。

低溫對生物的最大傷害機制是：冰的分子結構會在組織細胞內形成，從而破壞了外層細胞膜並使得組織細胞的功能受到不可回復的嚴重損害。因此，避免它們不在體內出現，便是南極地區之溫血動物適應酷寒的一個最基本原理，其方法是：

1、發展出良好的絕緣——企鵝、海豹、鯨魚及海鳥等均依賴其皮下之厚油酯以隔絕外界之低溫，如威斗（Weddell）海豹（見第80頁）之皮下油酯便有10公分厚，另企鵝則有加厚且重疊的羽毛。

2、改變其活動行為——如帝王企鵝互相擁靠以減少體熱散失而過多（見第86頁）。

3、不同的血液循環機制——許多海洋哺乳類及鳥類，如企鵝位於心臟邊陲的四肢，如鰭與蹼之靜脈與動脈較為接近，使其靜脈內回流心臟之血液能被來自心臟較溫暖之動脈血液加溫，並因而能維持四肢內之主要組織溫暖。其它易於散失熱量之周邊組織及皮膚則減少血液循環，亦即它們需忍耐嚴寒並因而減少體溫之散失。

4、較短的四肢——如企鵝有較短的四肢以減少體熱之散失。

5、幼雛體型大，且只要食物充足就能成長極快。

6、控制新陳代謝甚至生殖腺等以選擇性地使用能量。

而植物及冷血動物的適應，原則是發展出避免或減少極冷對其身體的嚴重傷害：

1、失水——如地衣、藻類、無脊椎動物和昆蟲在低溫時體內的水分會跟著降低或以乾燥的卵之型態來過冬。

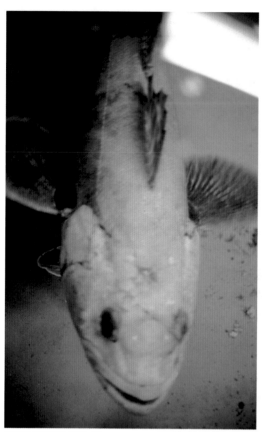

無紅血球的蒙生鱈魚（Antarctica New Zealand）

分，魚類有較少或甚至沒有紅血球，如冰魚及冰鯖魚即因此而有白色的腮及內臟。其血液相對較稀薄、新陳代謝也較緩慢，因而消耗較少能量並保留維生的體能。

4、不同的組織液——如體內積蓄葡萄糖、鹽分及蛋白質等使體內組織液的冰點降低。

5、不同的酵素——如冰魚之體內有效率較高的酵素，可以使其在0℃之低溫下如其它的魚在20℃一樣照樣能活動。

6、顏色——有些低等的植物會有較深的體色以易於吸收熱量。

7、生長地方的選擇——如植物生長在向北隱蔽的岩縫中。

南極地區之食物鏈

海水表層的植物性浮游生物（如各種海藻）係食物鏈中最底層的食物供應者，夏日陽光會促使其大量繁殖，它們為動物性浮

2、防凍劑——如節足動物或南極冰魚會在體內產生抗凍劑，以阻止冰的分子結構在細胞組織內形成，或與生理鹽分及冰結晶結合而使得其體液的冰點低於南冰洋海水。

3、無紅血球——由於寒冷的南冰洋中能溶解較多的氧氣成

南極的生態

游生物之食物。而後者以磷蝦最為重要因為它是許多南極地區之高等動物的主要食物來源，從海鳥、企鵝、海豹到鯨魚等無不依賴它為食，甚至演化出特殊的牙齒而利於捕捉。光是鯨魚1年即約要消耗1億5000萬噸，沒有它整個生態圈將崩解，意即南極地區的生態系統極為脆弱。另魷魚亦是極重要的食物供應者，在前述的捕食者之胃中不乏有它們的蹤跡。

陸上的捕食者主要係海鳥，如賊鷗、巨海鷗等，而豹海豹（Leopard Seal）則是企鵝的主要捕食者（見第79頁）。

帝王企鵝群（C.Monteath/Antarctica New Zealand）

南極與亞南極地區的野生動物　8

南極與亞南極地區給人們的印象，是有極豐富的海豹、企鵝及海鳥等各種野生動物。

以下簡介一些南極大陸與亞南極島嶼間常見的野生動物：

海洋哺乳動物

《海　豹》

海豹是最能適應南極環境的哺乳動物，牠們有短的鰭與厚且富油酯的外皮，在水中極為活躍但在陸上則極為笨拙，其在陸上繁殖及脫皮而非水中動物。牠們分2種：無耳蓋及有耳蓋的海豹，前者又名真海豹，其後鰭連長在一起而不能向前擺動，以在陸上行走而需像毛毛蟲一樣以縮、推的動作前進，另其有皮下油酯而不似後者有厚的皮毛。

南極地區約有5種海豹，其數目遠多於北極地區。現簡介其4種及1種亞南極海豹，其中皮毛海豹屬有耳蓋海豹：

1.食蝦海豹 (Crabeater Seal)

食蝦海豹性喜食磷蝦而不是螃蟹 (Crab)，其身體瘦長，雄豹可達約3公尺、雌豹略小，可重達250公斤。

食蝦海豹（P.Dingwatt/Dept. of Conservation,NZ）

南極與亞南極地區的野生動物

牠們喜歡小群地在浮冰上活動，其有特殊門牙與犬齒以利於大口吞入海水後濾下牠們在淺水補捉的磷蝦。通常在春天繁殖，其幼豹的成長極為快速，哺乳時間約為4週。

食蝦海豹是世界上數目最多的海豹，總數約在5000萬隻以上。

2.豹海豹（Leopard Seal）

豹海豹體型瘦長亦可達約3公尺，但重量可達350公斤，雌豹的體型較大。牠們有比例較大的頭、可張很大的口及強力的顎，是惟一捕食溫血動物的海豹。

牠們在繁殖季節的夏天會成群，其他時間則常獨自活動並在淺水處捕食，尤其在企鵝群附近

豹海豹（C.Court/Antarctica New Zealand）

威斗海豹（C.Rudge/Antarctica New Zealand）

或浮冰邊緣待其跳出水面時獵捕。它們也捕食其他的海豹，甚至可能攻擊人類，其天敵是虎鯨。

豹海豹之數目約在22萬隻以上。

3.威斗海豹 (Weddell Seal)

威斗海豹的體型較肥胖，長度可達3公尺、卻可重達400公斤且雌豹體型略大。

皮毛海豹
（Adventure
Associates
Pty.,Australia）

南極與亞南極地區的野生動物

牠們喜歡在近海岸的浮冰上出沒，是能在最南緯度活動的海豹。冬天時通常在冰下過冬，常利用浮冰之破洞、隙縫或自行咬掘以鑽入水中覓食或露出換氣，春天時則到冰上生產，其母乳是哺乳動物中營養成分最豐富的乳液。威斗海豹有極佳的視力可在720公尺的水深、光線不佳之下補食，且可停留近1個小時。

4.皮毛海豹 (Fur Seal)

皮毛海豹有濃密的體毛故名，其雌雄之體型懸殊——雄豹可長達2公尺而重約200公斤，雌豹則可長達1.5公尺，卻只重約50公斤。

12月是繁殖的季節，1隻雄豹可配對4到5隻雌豹，雄豹通常會嚴守在旁以防侵擾其撫幼。

皮毛海豹分佈在南極半島與亞南極島嶼間，本世紀初其在各亞南極群島曾經歷相當的捕殺，現在仍幾乎過多而侵害其他的動植物。

5.象豹 (Elephant Seal)

象豹是體型最大的海豹，雄豹可長達6公尺及重達約4公噸，而雌豹較小但仍可長達3.5公尺及

象豹（作者）

重達約1公噸。

　　牠們通常在海裡過冬直到春天才上岸繁殖，雄豹間即不停的爭鬥，而每隻可能與多至20到30隻的雌豹配對。胚胎期為3週，其嬰兒重約40公斤但成長極快，約23天後斷奶時即可達120公斤重。其可能遠離其棲息地達數千公里並作深達1500公尺之潛水以補食魷魚。

　　象豹主要分佈在亞南極群島及少部分佈在南極半島，其中南喬治亞島約有36萬隻，其曾被嚴重地捕殺，現今其數目雖有回復但在某些地區仍有減少的趨勢，如在過去50年來澳、紐之瑪奎麗及康寶島分別有減少50％及97％的報導，可能與全球氣候之變化而導致食物供應的減少有關。

《鯨》

　　鯨通常可分為有齒鯨及無齒鯨，前者有頸骨及大牙以撕裂獵物，且體型通常較小；後者體型較修長，且其上顎長有向下、每側數目在160到360之間的鯨鬚，用以濾除口中的海水而留住其主食如磷蝦等小型獵物。

　　鯨係透過頭頂上之一個或一對的鼻孔在水面換氣，而呼出的氣柱會將肺部內的蒸氣及鼻孔附

抹香鯨（作者）

南極與亞南極地區的野生動物

近的海水向上推送形成「噴水」，其高度及形狀依鯨而異。它們通常都能作長時間的潛水，並發聲來作溝通、辨識或回聲定位，是群居性且季節性遷徙的動物。在南冰洋約有10種鯨魚，以下簡介7種：

【有齒鯨】

1. 抹香鯨 (Sperm Whale)

抹香鯨之雄鯨可長達約18公

抹香鯨（鄭義朗（魚藏））

尺及重達35公噸，雌鯨則可長達約12公尺，是有齒鯨中體型最大者，其充滿鯨酯之極大的頭部以及小而長滿牙齒的下顎為其特徵。

春夏之交，牠們會成群地在南冰洋繁殖活動。懷胎期約16個月，幼鯨約長4公尺。

冬天時，w牠們會遷移到較溫暖的海域，甚至到北半球。抹香鯨性喜深潛捕食魷魚，可在海底2200公尺待至少一個小時之久。

牠們曾遭受嚴重的捕獵，自1979年後，其已受全然的保護但數目回復仍慢。

2. 虎鯨/殺人鯨 (Killer Whale/Orca)

虎鯨有優美黑白相間的體型係海豚類中體型最大者但無長型的嘴，其背鰭可長達9.2公尺，重達約9公噸，母鯨略小。

牠們喜歡大群地在較冷的海域出沒，其會作有名的「同步游泳」——動作一致地游泳並抬起上身而豎立在海面。虎鯨有貪得無厭的食慾，牠們會攻擊體型比其大的海洋哺乳類及企鵝等溫血動物，惟卻從未有人們被其攻擊的報告。其極為聰明而可

虎鯨（鄭義朗（魚藏））

以訓練成良好的表演者，牠們的壽命可達60歲以上，虎鯨的數目約在14萬隻。

【無齒鯨】

1. 藍鯨

藍鯨是體型最大的鯨種與動物，其體長可達30公尺，重則達150公噸以上，其最大特色是下潛時會將其尾鰭翹高。

夏天時，其會前往南冰洋活動並幾乎全以磷蝦為食，每條藍鯨1天可吃掉約4公噸。牠們常單獨或成對地活動，並可能到南極大陸近海，為在地球最南緯度可見到之最大型動物。

藍鯨曾經嚴重地遭到商業捕殺，雖自1965年起受全面保護，但現今仍只有約450到2000條。

藍鯨（鄭義朗（魚藏））

長鬚鯨（陳瑞倫／理想旅運社）

2. 鰭鯨/長鬚鯨（Fin Whale）

鰭鯨是世界第二大鯨種，雄鯨可長達25公尺及重55公噸而雌鯨則略小。牠比藍鯨稍修長，下顎白色且游泳時速可達約35公里，是無齒鯨中最快者。

在夏天時，鰭鯨常在亞南極附近較溫暖的海域活動，尤其是50°S到60°S之間，

且幾乎全以磷蝦為食，每條鰭鯨一天可吃掉約1公噸。多天時，它們便向北回游，甚至到北半球。

鰭鯨亦曾遭嚴重捕殺直到1976年起被列為完全保育，但其數目回復極為緩慢，現今約有9萬條。

3. 鰮鯨/塞鯨（Sei Whale）

鰮鯨與前二種者極近似，惟其體型較小且修長，雌鯨可長達約16公尺及重約32公噸而雄鯨則略小，其有極快的短程游泳

南極與亞南極地區的野生動物

能力，可達時速約55公里。

　　牠們通常小群地在較低緯度之南冰洋海域，尤其是40°S到50°S之間，而以磷蝦及更小的浮游生物爲食，每條鰮鯨1天可吃掉約1.5公噸，牠們通常作長程的南北遷徙。

　　鰮鯨亦曾遭極嚴重的捕獵直到1978年起被列爲保育動物，惟其增長的速度緩慢。

4. 背鯨/大翅鯨/座頭鯨（Humpback Whale）

　　隆背鯨之體型較不修長，雌鯨可長達約18公尺及重約32公噸而雄鯨則略小，其有約1/3體長的左右鰭並有大而圓的頭，不同個體之間的左右鰭與背鰭的朝下端有不同的斑

牠們在夏季回到有豐富食物之南冰洋，雄鯨在水底常不停地發出聲音，是最會發聲的鯨種，

惟在近南極大陸海域則很安靜。多天時則回流游至赤道附近，甚至到北半球繁殖。每條隆背鯨1天可吃掉約1.5公噸的磷蝦。

　　隆背鯨也曾遭極嚴重的捕殺，現今其總數約只有數千條。

5. 小鰮鯨/小鬚鯨（Minke Whale）

　　小鰮鯨是無齒鯨中體型最小者，游泳起來極敏捷且好奇會接近船隻。體長可達約9公尺，重量約在7公噸。

大翅鯨（鄭義朗（魚藏））

　　夏天時，牠們會到較高緯度的南冰洋海域，尤其在60°S與70°S間出沒，並因性別及年齡而分群。多天時，牠們將移往較低緯度溫暖的地方。

　　小鰮鯨在過去並沒有遭受嚴重的捕殺，因此，現爲南冰洋中數目最多的無齒鯨。

企鵝

　　世界上有17種企鵝，牠們全分佈在南半球。南極與亞南極地

區約有8種，其中在大陸南極海岸繁殖的有2種，其他則都在南極半島海岸至亞南極間之島嶼。牠們常有極大的族群而約佔有南極地區85%之海鳥數目。

1620年法國的標列(Beaulieu)船長在非洲南端首度驚見會潛游捕食的企鵝

帝王企鵝幼雛
（Antarctica New Zealand）

小帝王企鵝群
（Y.Martin/Antarctica New Zealand）

時，稱其為「有羽毛的魚」。其主要食物是小魚及磷蝦，而天敵是殺人鯨及豹海豹，賊鷗則會攻擊其幼雛及捕食其蛋。通常牠們極長壽，如帝王及國王企鵝可達20至30年。

以下依分佈地區自大陸南極向外的順序作其簡介：

1.帝王企鵝
(Emperor Penguin)
帝王企鵝之高與重分別可達約115

南極與亞南極地區的野生動物

生命共同體—雄帝王企鵝在劇寒下捲曲取暖互換位置以免凍斃！

公分與40公斤，其以體型最大及外形優雅而得名，牠們是惟一無需作季節性遷移的高等溫血動物。

在秋天時節其牠已完成繁殖的野生動物紛紛離去之際，牠們則歷經一個夏季的攝食而有充沛的體能，反而自海岸向南極大陸之內陸棲息地推進以開啟其感人之特異繁殖過程。每年5、6月份，配對後之雌鵝產下一個重約4.5公斤的巨蛋不久即將其交與雄鵝。雌鵝即經更遠（海面已冰封），可能達200公里的長途跋涉，而在約消蝕了25%左右的體重後回到南冰洋過冬。雄鵝則在可低至 - 60°C之劇寒、強風時速150

至200公里的永夜下，將蛋孵抱在兩腳之間且覆蓋著羽毛並與地面隔離，且可能多達6000隻成群地互相蜷靠取暖並換位置減少失溫。64天後約在每年7、8月份，小企鵝便破殼而出，惟在前後已約4個月無進食之雄鵝還自胃內吐出液汁以餵食其幼鵝，而雌鵝也經長途跋涉並在成群中經辨識而適時出現。在換手之後，雄鵝乃長途跋涉回到海中攝食以補回已剩約一半之體重，一個月之後，牠再回到繁殖地點並輪流來回覓食以撫育幼鵝。幼鵝成長極為快速，直到12月份左右便可獨立。

其能下潛超過630公尺達約

20分鐘之久以覓食，是可潛水最深的鳥類。

在大陸南極海岸已知有42個帝王企鵝之棲息地，最大者為羅斯海中之柯曼（Coulman）島，在那裡約有20萬隻，惟較溫暖的南極半島卻沒有，其總數約有40萬隻，是數目最少的企鵝。

2.阿得里企鵝
(Adelie Penguin)

阿得里企鵝之高與重分別可達約70公分與6公斤，其有整個黑色的頭卻有白色的眼圈，常好奇而近人，法國探險家得弗里（

見第　頁）以其妻之名命之而得名。

冬天時，牠們常成群出現在浮冰或冰山上活動，春天一到牠們即遷回其陸地棲息處，通常雄鵝會先抵達並以鵝卵石修復巢，雌鵝則慢數日抵達，在配對後產

阿得里企鵝（作者）

阿得里企鵝群（陳瑞倫／理想旅運社）

南極與亞南極地區的野生動物

浮冰上的阿得里企鵝（陳瑞倫／理想旅運社）

下二個蛋並即交由雄鵝孵抱4週以得幼鵝，此時雄鵝已失去一半體重。在餵食時，成鵝常跑給幼鵝追，輕易放棄追逐者往往得不到食物。

　　阿得里企鵝可能下潛175公尺以覓食，其游速極快，可達每小時15公里，並可跳高約達2公尺上岸而利於逃避豹海豹的捕食。

　　其棲息地遍佈整個南極大陸海岸及臨近島嶼，羅絲海域的阿達里岬是其最大的棲地，約有50萬隻，其總數約在500萬隻。

3.頷帶企鵝
(Chinstrap Penguin)

頷帶企鵝
(Dept. of Conservation, New Zealand)

頷帶企鵝（Adventure Associates Pty.,Australia）

頷帶企鵝之高與重分別可達約66公分與4公斤，近似阿德里企鵝，惟其有一黑條色帶圍繞在下顎且狀似帽子之頷帶故得其名。

牠們常在浮冰上出現，在陸上常用滑行。喜築巢在岩石陡坡，每年底11、12月左右母鵝會產下二個蛋，孵化期約37天，幼鵝在次年2、3月間便可成熟。其潛水的深度約可達100公尺。

頷帶企鵝的總數是排名第二多的企鵝，其數目約在1400萬隻，主要棲息地在南極半島北端西岸的南雪特蘭群島及亞南極島嶼，而南三明治群島即約佔了2/3的數量。

4.間投企鵝
（Gentoo Penguin）

間投企鵝之高與重分別可達約76公分與6公斤，它有橘黃色的喙且在眼後則有白色的羽毛，比較怕人。

牠們以石子或草築巢，視地區而不同，其在每年6至12月開始繁殖。其雌鵝每次產二個蛋，約36天孵化，每次撫育2隻幼鵝，習性與前二者雷同。牠們通常在近海岸較淺處覓食但亦深潛至100公尺。

南極與亞南極地區的野生動物

間投企鵝（Antarctica New Zealand）

馬可羅尼企鵝（張子芸）

　　間投企鵝的總數約在63萬隻，其分佈在南極半島北端西岸的南雪特蘭群島及亞南極島嶼，其中有超過半數在福克蘭及南喬治亞群島。

5.馬可羅尼企鵝（Macaroni）

　　馬可羅尼企鵝之高與重分別可達約76公分與4公斤，其雙眼間有左右相連橘色的流蘇，善於在岩石間跳躍行進。

　　牠們是在夏日繁殖，每次母鵝會產二個蛋。第一個蛋較小並在第二個蛋被生出來後即會被逐出其巢，唯有第二個但會被孵抱。

91

約60公分與3公斤，其外表與體型稍大的馬可羅尼企鵝近似，惟其頭上的左右流蘇並不相連。牠們會逐巢在鬆動的石塊上或在陡峭的岩壁間之洞穴，而善於跳躍進出故得其名。

　　牠們在9、10月間會產二個蛋，也唯有第二個蛋會被孵抱，但偶會有兩個蛋同時被孵抱且同時撫育2隻幼雛，

跳岩企鵝
(Dept. of Conservation, New Zealand)

　　其分佈於南極半島往東直到澳屬賀德島之間的亞南極群島，是族群最大的企鵝，總數約在2400萬隻，其中約有半數在南喬治亞島，其他島嶼各有數百萬隻（如賀德島有200萬隻以上）。

6.跳岩企鵝
（Rockhopper Penguin）

　　跳岩企鵝之高與重分別可達

國王企鵝
(Adventure Associates Pty., Australia)

孵化期約35天。

　　其只分佈於亞南極群島，總數目約在750萬隻而福克蘭群島約佔1/3，在有些地方其數目極速地減少而受到關注。

7.國王企鵝(King Penguin)

　　國王企鵝之高與重分別可達92公分與25公斤，是體型第二大的企鵝，其外表與帝王企鵝近似但更鮮豔。

　　牠們有複雜特異的繁殖習性，每3年繁殖2次，每次母鵝產一個蛋，其雙親輪流將蛋孵抱在

　　其兩腳之間，孵化期約55天。幼鵝亦會互相擁靠取暖，並會被照顧約1年。

　　牠們只分佈於亞南極群島，過去曾遭相當的獵殺而現今總數約在300萬隻。

8.皇家企鵝(Royal Penguin)

　　皇家企鵝的身高可達約76公分，狀似馬可羅尼企鵝，惟其臉較白且喙較小。

　　牠們以極大規模的族群聚集，通常在每年春末繁殖，每次產二個蛋，亦只有第二個蛋會被

皇家企鵝
（Dept. of Conservation, New Zealand）

黃眼企鵝（作者）

孵抱，孵化期約6週，幼鵝在次年1、2月左右即成熟獨立。

皇家企鵝是澳屬亞南極的碼奎麗島之獨有品種，其曾受相當的捕殺，現今其總數約有300萬隻。

9.黃眼企鵝
（Yellow-eyed Penguin）

黃眼企鵝之身高可達約76公分，因有黃顏色的眼睛而得名，是害羞膽小且是極為稀有的企鵝。

牠們通常在每年9月開始築巢在離海岸稍遠之隱蔽的樹叢中，每次產二個蛋且雌雄輪流孵抱，孵化期約40到50天，一次可撫育2隻幼鵝，到次年2月便可成熟獨立。

黃眼企鵝是紐西蘭南島東南及其亞南極群島之特有品種，總數約只有5000隻而有保育的問題，其棲息處必須根絕野鼠，以免其蛋和幼雛遭受攻擊。

海鳥

南極及亞南極地區的海鳥約有57種，牠們通常有較大的體形而產較大的蛋，有較大的族群，冬天需遷徙並且壽命長。

牠們在特殊的生存環境需面對2個適應問題：

1. 海鳥飲用海水及捕食海中獵物時，需有特殊的方法以排除體內過多之鹽分——它們會被血流送到其鼻腺再形成滴狀流到鳥喙尖端，而經鳥的甩頭動作將其排除體外，因此它們亦常有較大甚至明顯突起的鼻腔。

2. 當其自空中俯衝下潛入水捕食時，需面對巨大衝擊力、鼻腔進水及換氣——其頭及頸部有較厚之羽毛可減少衝擊力，且需很快地回到空中來換氣並需避免吞入過多海水，而其鼻腔入口亦有角質物可從外部堵塞以防止海水進入。

海鳥們之喙常有倒勾以利經常作海面補食小魚及甲殼動物包括磷蝦，並都具有長程飛行能力，途中可在海面或船隻上休息或隨船隻航行活動覓食。

以下簡介數種南極與亞南極的海鳥：

《賊鷗（Skua）》

在南半球有南極及亞南極2種賊鷗，其體高分別約是53與63公分左右，前者的體型略小且有較淺白色之羽毛，不同亞南極種之賊鷗可能成對的活動，其飛翔

好奇的賊鷗（作者）

攻擊時的賊鷗
（K.Westerskov/Antarctica New Zealand）

的姿勢看起來有些笨重，滑翔較少但卻是一種飛行能力極強的海鷗。

賊鷗在夏日繁殖，每次會產二個蛋，孵化期約為27天，惟經常只有1隻幼鳥能存活。南極賊鷗是地球上在最南緯度可發現的鳥類，在南極點上曾有其出現的紀錄。冬季時，牠們活躍於海上，甚至可能到北太平洋的阿留申群島。

賊鷗們以企鵝蛋……或其他海鳥如海鷗及鱗蝦為食，牠們亦會兩隻共同合作，即一隻在前頭引開欲攻擊之企鵝，另一隻在後頭取其蛋因而得其名為「賊鷗」。

《海燕(Petrel)》

海燕是分佈極廣的海鳥可達到南極大陸，牠們的體型懸殊，每年繁殖。

大海燕（陳瑞倫／理想旅運社）

大海燕（Dept. of Conservation, New Zealand）

1.大海燕(Giant Petrel)

　　大海燕的身高可達約65公分、體長可達76公分、翼展可達2.5公尺，是海燕中最大型者，其有極大的喙以及突起的鼻管。

　　牠們所築的巢較簡易，繁殖始於每年8到10月，每次只產一個蛋。其有極大的食慾是兇猛的獵食者，在海上及陸地捕獵且攻擊其他鳥類如帝王企鵝，主食是魚、魷魚及腐肉等，正如同南極的兀鷹。其搶食之後的血腥外表常讓人作噁，惟卻極友善近人。

　　大海燕有極強的飛行能力，在南冰洋到處均可見其蹤影，其壽命可達約25年，但其常因捕食釣鮪船所放的長釣線上之魚餌而

南極海燕（Dept. of Conservation, New Zealand）

喪命。

2.南極海燕
(Antarctic Petrel)

　　南極海燕的身高可達約43公分，其上身部分是巧克力棕色，翅膀上則有白色長條。

　　牠們喜歡築巢在海邊陡峭的岩壁，但也有棲息在內陸地區，並喜歡大量聚集在一起。南極海燕大致在每年11月會產下一個蛋，次年的3月幼雛便可成熟獨立。

　　南極海燕的主要食物是在較淺之海水捕食，其棲息地區在南極大陸海岸，而通常不越過南緯60°以北。

鸕鶿（作者）

《鸕鷀 (Shag/Cormorant)》

　　南極與亞南極鸕鷀之身高約在60到88公分，其約有7種，其中6種有粉紅色的腳及1種有黃色的腳，惟其各方面極為相似。

　　鸕鷀通常逐巢在陡峭的海岸岩坡，夏日為其繁殖季節，一次可產3個白色或淡藍色的蛋並可同時撫育3隻幼鳥。小雛鳥無羽毛，在寒冷的南冰洋活動之海鳥中是極為特異的。

　　鸕鷀的分佈在南極半島及亞南極島嶼，通常其只在近海活動並以深潛捕食。

《燕鷗 (Tern)》

　　燕鷗之體高約在40公分但有稍長的雙翼，其體型雖小但飛行時尾翼大張，姿勢靈巧美麗且飛行能力極強。其有2種廣佈在亞南極群島及南極半島，甚至在

燕鷗
(Dept. of Conservation, New Zealand)

南冰洋上也有來自北極遠道而來的燕鷗。

　　燕鷗通常就在海岸峭壁築不精緻的巢，每年11月到次年的1月是牠們的繁殖季節，它們會1次產數個雜色的蛋，為深綠或橄欖、橄欖棕色配上黑暗褐斑點，每次孵出1至2隻幼鳥。

　　燕鷗喜在離海岸不遠之海上捕食淺水的小魚。

《信天翁》
(Mollymawk/Albatross)

　　信天翁是外型優雅的海鳥，英文的Albatross比Mollymawk體型較大，其與海燕最大的差異是只在海上捕食、不以腐屍為食、每2年才繁殖1次、每次產一個蛋、分佈的緯度較北及通常以草叢築巢。另其在求偶時，會有特殊的「舞姿」。

　　信天翁有極長的壽命，曾有在40年間一直回同一棲息處繁殖的紀錄，但其亦常因捕食釣鮪船所放的長釣線上之

南極與亞南極地區的野

灰頭信天翁

（Dept. of Conservation, New Zealand）

魚餌而喪命。

1.灰頭信天翁

（Grey-headed Mollymark）

　　灰頭信天翁之身高可達約63公分、翼展2.2公尺，其上下喙有橘黃顏色並有灰色的頭部，分佈在亞南極島嶼。

　　牠們常巢在岩崖，其孵化期約為70天且雙親一齊輪流孵蛋及撫育幼雛，幼雛需時約4個月便成熟獨立。曾發現有36歲者。

　　灰頭信天翁之總數約是40萬

皇家信天翁（作者）

99

皇家信天翁（作者）

隻。

2. 皇家信天翁
(Royal Albatross)

皇家信天翁漂泊信天翁
（Adventure Associated Pty., Australia）

皇家信天翁有極大的體型，立高可達125公分、翼展3.5公尺，白尾及黑的上翼，其主要在紐西蘭之亞南極群島繁殖與活動，另有一小群在其南島之但尼丁半島。

皇家信天翁築巢在草叢，通常在11月會產下一個蛋，孵化期約66天，幼鳥將在巢裡被照顧至少7個月。其總數約為4萬隻。

漂泊信天翁（Adventure Associated Pty.,Australia）

3.漂泊信天翁
(Wandering Albatross)

漂泊信天翁之外型及大小與前者極爲近似，在遠處極難清楚分辨。惟其出沒的範圍較廣闊，幾乎在整個南冰洋都有其蹤跡，故得其名。

其繁殖習性與食物亦和皇家信天翁雷同，但繁殖季節較遲，始於1月底，並會隨船隻航行活動覓食。其總數約爲8萬隻。

國王企鵝群（張子芸）

9

在19世紀初，當人們入侵這些島嶼時，它們曾經是野生動物的屠宰場，而現在則已成為特別保護區以及人類南極大陸探險活動之史蹟和科學研究站的所在，充滿了自然性與歷史性。

在南極與亞南極地區有相當數量的島嶼，它們大致都有較年輕之地質、火山遺跡或仍有活火山，其大致可分為三大類：南極大陸島嶼、南極大陸近海島嶼及亞南極島嶼。

其中後二者因長期受洶湧的南冰洋海浪的侵蝕而較少有沙岸，但它們大都比南極大陸海岸有更多的野生動物。早期，具有經濟價值的鯨魚、海豹及企鵝很自然地成為人們搜刮的對象，而

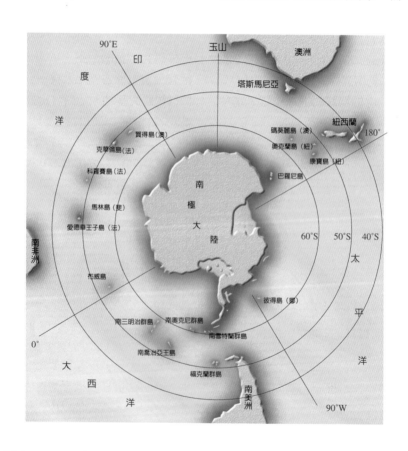

南極與亞南極島嶼

使得這些島嶼（尤其是最後者）曾經是牠們的大屠場。由於天候的嚴苛與設備的簡陋，以致海難頻繁遍及疾病，那裡既是捕鯨、豹者等冒險家的樂園，也經常為他們的墳場，這些島嶼除了還保留有當年捕鯨、豹及避難處的遺跡，亦可見荒草中的孤墳。惟今日它們都變成特別保護區，分別受南極條約（見第201頁）及相關各國政府的管制，甚至還有被聯合國劃為「世界傳承地區（World Heritage Area）」，如澳屬瑪奎麗島（見第113頁）。

由於特殊的地理位置，這些島嶼自古以來亦是人們從事各種南極活動的所在，使得今日它們亦不乏有南極史蹟與科學研究站存在而充滿了「自然及歷史性」，並成為南極船遊所經常探訪的地方。

南極大陸島嶼

這是指那些在南極大陸海岸被冰棚與其連在一起而分不出界線的島嶼，其氣候屬南極大陸型態——乾而極冷，島上的植物有限，惟其海岸則有各種野生動物棲息。以下簡介三個群島：

《亞力山大（Alexander）島》

亞歷山大島係由一最寬有32公里之喬治六世冰棚與南極半島之南半部西側相連，它是個長度約有320公里而略呈狹長的島嶼，上有一所英國的夏日研究站。

《羅斯（Ross）島》

羅斯島位於羅斯海域的底部，由羅斯冰棚與南極大陸相連，上面有知名的陸標——愛樂伯斯火山。它是自古以來人類進出地理南極點、橫越南極大陸及科學研究等相關活動之重鎮，現留有三個重要古基地及美、紐二個科學研究基地。

《博克諾（Berkner）島》

博克諾島位於威斗海域，係由儂尼與福爾克那冰棚所包圍，其在近代常被當作橫越南極大陸探險活動的起點，而前述之羅斯島則成為其終點。

南極大陸近海島嶼

這是指那些在南極大陸近海的島嶼，其氣候是典型的南極海洋型態而常有強勁的西風、霜雪與陰霧。島上有植物且大都有豐富的野生動物之棲息與繁殖。以下簡介四個群島，前三者均由南極條約管轄，後者位於南極圈之

內，卻屬挪威而爲一個特例：

《南雪特蘭
（South Shetland）群島》

南雪特蘭群島是所有南極與亞南極群島中最大的島群，它包括11個較大島及約150個小島成串地沿南極半島北端橫亙在其西岸長達約540公里。其中之夢幻(Deception)島是個活火山島而有溫泉及帽蒸汽的海灘，其地面溫度可達50°C，在寒冷的極地謂爲奇觀。

群島上有數目極大的海鳥、企鵝與海豹，包括百萬隻以上的頜帶、阿得里、間投企鵝與相當數量的馬可羅尼企鵝、威斗海豹及食蟹海豹等。植物有地衣、苔蘚及開花植物，尤其海岸峭壁常長滿鮮艷之橘黃色的地衣，遙望可及。

最早發現南雪特蘭群島的可能是1599年9月15日之荷蘭人葛利茲（Dirk Gerritsz），而英國人史密斯（William Smith）則在1819年2月19日又發現了它們，後在10月16日重返宣佈其主權且登陸並命名爲今日的喬治國王（King George）島。挪威自1904到1921年曾在夢幻島經營地球上最南的捕鯨站，而該島亦爲1928年之第一個南極飛行探險的基地（見第163頁）。另象島是1914／17

夢幻島的地熱沙灘（Adventure Associated Pty., Australia）

南極與亞南極島嶼

年英國雪可頓之探險隊落難105
天之處（見第156頁）。英國曾在
1908年將夢幻島併入其「福克蘭
群 島 領 地 （ Falkland Islands
Dependency）」及1944年將該群島
劃入其「南極領地」，但智利及
阿根廷均反對。

今日南雪特蘭群島上有數國
之科學研究基地，尤其喬治亞島
即共有13個（見第220頁），其亦
頻為南極船遊探訪之處，使得該
群島成為有最多人類活動的南極
島嶼。

《南奧克尼
（ South Orkney) 群島》

它約位於南極半島尖端外之
史考提亞（ Scotia) 海中，有4個
大島。

該群島係在1821年12月7日
由美國探險家帕碼（ N.B. Palmer
）與英國波威爾（ G. Powell) 船長
所共同發現（見第126頁）。1908
年英國曾將其劃入其「南極領地」
，但阿根廷在1925年亦聲稱對其
擁有主權。在1912／30年間曾有
挪威與智利的補鯨站。今日在勞
麗（ Laurie) 島上有1903年蘇格蘭
探險隊所建，後由阿根廷接管至
今之南極最古老的澳卡達斯研究

基地（見第140頁），而西格尼（
Signy) 島則有1個英國的夏日研
究基地（見第224頁）。

《巴羅尼（ Balleny) 群島》

巴羅尼群島位於喬治六世領
地外海的南極圈上，它有7個幾
乎全由冰雪覆蓋的主島南北排列
近200公里。

最早發現該群島的是1839年
英國的巴羅尼(J. Balleny)與福利
曼(T. Freeman)船長(見第158頁
)，而我國第三次南極漁業科學
研究探險隊曾在1982年初航抵該
群島附近作業(見第174頁)。

這些島嶼有極陡峭的海岸，
野生動物較少。

《彼得島（ Peter I Oy)》

彼得島位於南極圈內之白令
豪山海中，它長約15公里、寬7
公里、面積約有180平方公里。
拉克利斯丁森（ Lars Christensen)
峰是該島的最高點，其海拔是
1695公尺。其幾乎整個被深厚冰
雪覆蓋，海岸高達40公尺而是個
極難登陸的島嶼，其四周一年到
頭亦均被浮冰所包圍著。

該島是俄國探險家白令豪山
在1821年1月21日所發現（見第
125頁），挪威捕鯨業大亨克利斯

登森的探險隊在1929年2月2日首度登陸並宣佈對其之主權。

島上之植物有海苔及地衣；動物方面有海鳥，特別是南極管鼻護(Fulmar)在島上的一些處所繁殖，而企鵝則數目較少，但有為數不少的海豹，尤其是食蝦豹及豹海豹在該島棲息。

亞南極群島

它們是指那些位於南極匯流圈附近之島嶼，包括22個主島或島群總數約有800個島嶼，其氣候型態均是典型的南冰洋式——冷、濕且(西)風大。

這些島嶼分別由紐、澳、法、挪、英、南非及阿根廷等擁有主權，其中南三明治(South Sandwich)及南喬治亞(South Georgia)等群島長期以來阿、英兩國均宣稱擁有主權而一直有糾紛，惟在經歷1982年之福克蘭戰爭後現在由英國佔領，但阿根廷從未聲言放棄其主權。南喬治亞群島是惟一有駐軍的島嶼，而所有島嶼都有登岸管制規定——需登陸許可、有探訪人數或時間限

提煉鯨油的大鍋（張子芸）

葛萊維根（張子芸）

廢棄的補鯨站（張子芸）

南極與亞南極島嶼

制、不得攜入泥土（上下船前需清洗鞋具）、不得攜入、出動植物、需攜出垃圾、不得搜取任何自然紀念品以及謹防疾病之輸入等。而島上如有研究基地其人員則經常兼負導遊與督查或如紐西蘭另有該國政府官員隨行，有部分紐西蘭島嶼則完全禁止登陸。

紐西蘭——奧克蘭（Auckland）群島、康寶（Campbell）島、史耐爾（Snare）島、恩提波地（Antipodes）島及邦提（Bounty）島。

澳洲——馬奎麗（Macquarie）島、賀得（Heard）島及麥當勞（McDonald）群島。

法國——阿姆斯特丹（lle Amsterdam）島、聖保羅（lle St Paul）島、科羅塞（Isles Crozet）群島及克華倫（Isles Kerguelen）群島。

南非——馬林（Marion）島及愛得華王子（Prince Edward）群島。

挪威——布威（Bouvet）島。

英國——哥（Gough）島、崔斯坦達古汗（Tris da Cunha）島及南三明治群島、南喬治亞島。

※ 阿根廷——南三明治群島及南喬治亞島。

以下簡介數個常被包含在南極船遊的行程中（視其路線）之島嶼：

《南喬治亞島》

南喬治亞島離阿根廷最南的烏蘇亞市約1700公里，是個長約175公里、寬約40公里的狹長島嶼，面積約有3755平方公里。它有一半以上面積是由冰雪所覆蓋，並有13座高度超過2000公尺之山峰，其中最高峰係2934公尺之培吉特（Paget）山，是亞南極島嶼中山最多且平均海拔最高的島嶼。另有許多峽灣，並有超過2打以上的湖泊。

那裡每年約有200天的陰雨日及185天的降雪日，島上幾乎是整年冰雪覆蓋。其近海區域長滿草叢、地衣、藻類並有開花植物。

該島首先是在1675年4月被一英國商人安東尼奧（Antonio）在無意中發現，100年後英國庫克（Cook）船長登了岸並宣告其之主權，成群的捕豹者隨之蜂擁而至。1882／83年間，德國人曾在島上設立科學研究站。1894年挪威拉森（Larsen）船長在作第

二次南極探險時，曾試圖在該島設立捕鯨站不成，直到1904年11月終於成功地在其葛萊維根（Grytviken）建立現代之捕鯨站（見第130頁）以及戲院、教堂、圖書館等設施，規模相當龐大。在1917年左右島上共有七個捕鯨站，直到1966年由日本接手3年後關閉期間它曾經是世界捕鯨的大本營。特殊的地理位置使它成為極具歷史性的島嶼，英國的南極探險家雪可頓即葬於葛萊維根，當年的教堂及博物館亦仍然開放，另其北端之離島有其一鳥島科學研究站（見第224頁）。

繼英國在1908年將該島併入其「福克蘭群島領地」之後，鄰近的阿根廷在1927年亦再度宣佈其對福克蘭及南喬治亞島的主權。1982年4月3日，其海軍2艘配備直昇機之艦艇及200名地面部隊進襲英國在該島的科學研究站，而爆發了人類在最接近南極地區的衝突——福克蘭戰爭，4月25日英國海軍奪回該科學研究站，今日它雖已不再使用但島上仍駐有其行政官員及軍隊。

南喬治亞島上有豐富的野生動物，海豹的數量有相當地增

廢棄的補鯨船（張子芸）

長，甚至其西北海灘已被太多的皮毛海豹佔領而使得登陸困難。島上約可見到57種鳥類，含各種海鳥及企鵝，其中有30種在島上繁殖。數目最多的是馬可羅尼企鵝約有1000萬隻，還有約20萬隻間投企鵝與相當數目的跳岩及國王企鵝，另有當時捕鯨、海豹人引進來的馴鹿。

《紐西蘭屬 奧克蘭群島》

奧克蘭群島位於紐國南島尾端以南約450公里，它是由六個島所組成，其中奧克蘭島是最大島，長約48公里、寬約24公里，

福克氏海獅（作者）

面積約627平方公里。它經常有陰雨天，冬季會下雪但不長期積雪。

　　紐國之毛利原著民應是最早發現該群島的人，而歐洲人則以1806年8月英國恩得比兄弟公司之布理思託（Abraham Bristow）船長（見第158頁）最早，捕鯨、豹者隨之。美、法及英國的南極探險隊均曾先後到過該島。1849年，該島上住有約60位毛利人。次年，恩得比公司在其北端曾遷入300位英國移民並設立了捕鯨站，惟在1856年前紛紛撤出。

1874年之金星觀測研究熱潮中，德國人曾在奧克蘭島的羅斯港（Ross Port）設有觀星台，今日該處仍留有3支安裝儀器用的磚柱。在1914年巴拿馬運河通航前，該群島南端海域是澳洲與英國海上航線路經之通道。因精確海圖之缺乏，海難頻繁。紐國曾在其上建造避難木屋，並有船舶每半年巡視與救濟，直到1927年才終止。另在1941／45年之第二次世界大戰期間，該島上曾駐有紐國之海岸巡防隊。

　　該群島擁有233種導管植物

為所有亞南極群島中最多者，並有樹林。其廣泛的野生動物包括紐國特有的黃眼企鵝與全球只有6000隻的福克氏海獅（Hooker's Sea Lion），尤其它們是全球漫遊信天翁及5萬隻的害羞信天翁（Shy Mollymawk）之最大棲息處。另在200浬經濟海域被宣佈之前，外來漁船曾於附近捕撈到巨大的國王龍蝦（King Crayfish）。該群島在1934年被劃為國家自然保育區，現今每年只有600人之登岸許可並需付費。

《紐西蘭屬 康寶島》

康寶島位於紐國南島尾端以南約700公里，面積約是166平方公里，為紐國之最南領土。其氣候型態與奧克蘭群島類似。

紐國之毛利原著民應係最早發現該群島的人，而歐洲人則為1810年1月的英國哈什伯格（Frederick Hasselburg）船長。他保密了1年後，捕豹人仍蜂擁而至，直到1820年代。1874年，法國人曾在堅毅（Perseverance）港設有今日遺跡仍存之金星觀測台，並作澈底之測量使該島地圖上不乏法文地名。1909／16年間島上曾設有捕鯨站，但農牧倒是自1895年持續到1931年。現島上有一所建於1957年的自動氣象站。

大草香（作者）

南極與亞南極島嶼

康寶島之植物的體型大致比奧克蘭群島的小且種類亦較少，但其導管植物仍多達213種，其中128種還是當地土生之品種。它有特有之大型開花草本植物叫「大草香(Megaherb)」，也有5公尺高的灌木叢。位於露營灣（Campcove）有1棵高達6公尺的雲杉（Spruce）且為全島唯一，在金氏年鑑中被視為「世上最孤獨的樹」。

該島在1957年被劃為自然保育區，有各式的海鳥及象豹和稀有的福克氏海獅，尤其它是全球最大的皇家信天翁棲息處，其登岸管制與奧克蘭群島相同。

《澳洲屬 馬奎麗島》

馬奎麗島是個狹長之島嶼，長約是34公里、最寬處為5公里，離澳洲之塔斯馬尼亞約有1500公里。它有一打以上之湖泊，其最高點是高度433公尺之翰彌爾頓（Hamilton）山，其每年會有至少1次6級以上之地震。

它最早應是由太平洋原住民發現而哈什伯格船長在1810年到達，它很快地變成野生動物的殺戮場，後來俄、美、英國的南極探險隊均曾先後到過該島。1911年，澳洲探險家莫生（見第153頁）更在那裡設立了第1個亞南極的無限電通訊站，並被其豐富的野生動物鎮攝而稱其為「世界奇地之一（ One of The Wonder Spots of the World ）」。今日島上雖只有地衣、苔蘚與草叢等植物，但野生動物方面卻有4種企鵝——世上特有之300萬隻的皇家企鵝、20萬隻的國王企鵝、相當數量的跳岩企鵝和間投企鵝，另有72種海鳥及9種為數達10萬隻的海豹。該島在1933年5月被其國會劃為「野生動物保護區」，後被聯合國教育科學文化組織（UNESCO）在1978年2月宣布為「野生物保護區（ Biosphere Reserve ）」，然後於1997年12月3日更進一步宣布為「世界傳承地區」。

每年只有500人之登岸許可、每次人數60人、時間為早上7時到下午7時之間、登陸艇需離岸至少200公尺、不得攜帶食物上岸、必須走木板步道及收登陸費等規定。另有每天登陸人數限制。

在該島北端有一碼奎麗科學研究站（見第226頁）。

其他島嶼

通常它們不被列為亞南極島嶼，但由於所具有的歷史與自然性特質使其常被排在南極船遊的行程中，以下即簡介其中一個群島：

《福克蘭（Falkland）或碼爾維那思（Las Malvinas）群島》

福克蘭群島位於阿根廷南端以東約510公里的南大西洋中，離英國則為13000公里，總面積約為12, 175平方公里。它共約有200個島，其中東福克蘭及西福克蘭島為二個最大島，而前者之面積略大。其地形複雜，前者由二個深水峽灣分割，其北端有高705公尺的攸斯本（Usborne）山；後者之東部多山，高700公尺的宏比（Hornby）山為其最高峰。

該群島全年陰雨可達250天，11月是較晴朗的月份。常有大風、冬季多霧，島上無樹。

最早發現福克蘭群島的是英國人戴維斯（John Davis），時間是1592年8月18日。荷蘭及法國人繼之，後者於1764年即在東福克蘭島有聚落，英國人則於次年於西福克蘭島落腳。統治阿根廷的西班牙人在1770及1774年分別趕走了法國及英國人並宣告其主權。阿根廷人續於1816年驅逐了西班牙人而獨立，並在1820年宣稱該群島是其第二十四個省而稱其為碼爾維那思群島。1832年12月英國人入侵又控制了該群島，阿根廷乃持續力爭恢復該島之主權。後該群島曾為人們在南極及亞南極活動的前進基地。到本世紀初英國宣佈將南雪特蘭、南喬治亞及南三明治等群島等併入其福克蘭群島領地後便引發其與阿根廷的進一步爭執。在1960年代，兩國曾在當時之聯合國有一連串之領土爭奪糾紛。在第一、二次世界大戰中，英國海軍曾以它為基地，於1914年及1939年與德國爭奪南大西洋的控制權。直到1982年4月2日爆發了人類在最接近南極地區的衝突——福克蘭戰爭，阿根廷出兵佔領該群島及南喬治亞島為時約10週，歷經激烈之爭奪戰直到6月14日阿軍撤出，但阿根廷仍始終未放棄其對該群島之主權。

今日在該群島設有半自治政府而其總人口為2120人，以位於東福克蘭島人口1560人的史丹萊

南極與亞南極島嶼

（Stanley）港為其首府，其附近有一小國際機場。島上的產業是蓄牧、觀光及漁業，近年來開始在附近海域開採石油。

福克蘭群島有豐富的野生動物，包括各種海豹、海鳥及5種企鵝在那裡繁殖，它亦是世界上最大的黑眉信天翁的棲息處。

福克蘭戰爭紀念碑（張子芸）

奧克蘭島（作者）

蒙生木屋（Adventure Associates Pty., Australia）

「南方大陸」存在的推論等誘因，吸引早期的人們作南極探險活動。其中，英國人最積極的參與，日本則是唯一曾投入的亞洲國家。他們無畏艱險之「海洋性格」的表現，積累成這一段輝煌的歷史。

南方大陸存在的推論

西元前約530年，發明畢氏定理之古希臘名數學家畢達歌拉斯（Pythagoras, 約582—500 BC）提出「地圓學說」。

西元前4世紀，古希臘名哲人亞里思多德（Aristotle, 384～322 BC）提出「地球平衡」的觀念——地球之南北半球應各有相對應之人口稠密地區以保持平衡而不致造成它之翻轉。希臘文即將在北方天空大熊星座（Artos）下方之北半球人口稠密地區稱為「Artos」；而那推論中對稱且遙遠的「南方大陸」則名為「Antarktos」，即意為大熊星座對面天空下方（即南方）的陸地；而英文稱南極大陸為Antarctica與此不無關聯。

西元150年左右，埃及地理學家托利米（Ptolemy）進一步支持前者之學說且更具體地提出地球的另一端必有一「Terra Australis Incognita」——意即「未知的南方陸塊（Unknown Landmass）」。

南北磁點存在的推論

西方人約在11世紀中葉開始使用羅盤，尤其自16世紀起逐漸增多的航海活動更仰賴它以作海上定位及導航，但他們很快地發現磁針所顯示的南北方向與正南北向有出入，這促成了人們對地磁學的研究，進而推論出除了地理南、北極點之外，另有「南、北磁點」的存在。德國物理學家高思（Carl Friedrich Gauss）更在19世紀初進一步分別計算出其大致位置——南磁點位於 66°S, 146°E。

促使早期人們從事南極探險的原因

1.那些(主要是西方)國家的文化原本便極具冒險犯難的海洋性格與科學探討的求知精神。

2.受「南方大陸塊」存在之推論的吸引。

3.國家主義的開疆破土精神。

4.受海豹、企鵝及鯨魚等之

南極大陸的發現與早期之探險活動

經濟價值的吸引。

5.繼「南/北磁點」存在的推論及其位置計算之提出，英國的羅斯船長更在1831年實地找到北磁極點的吸引(見探險選錄第128頁) (*1)。

6.私人的英雄主義，尤其在1885到1917年間。

早期南極探險活動之特色

以「科學探討及開疆破土」爲出發點之最早的南極探險活動係由國家主導，但自19世紀末起，漸有私人、國家機關與學術團體(*2)的合作加上大眾捐輸甚至有私人獨資。

其實，早期之捕海豹、鯨魚業者所從事的商業海上探險活動遠多於前者，他們以亞南極以及南極半島附近爲主要的活動地區，大約有1/3之南冰洋島嶼即由他們所發現。根據英國的史考特極地研究所(見第210頁)的說法：在1820年時，有約120艘船隻在今日之南雪特蘭群島附近活動。而在1780至1892年捕海豹的全盛時期，在上述水域有超過1100航次的私人商業海上探險活動，雖然其中至少有160個航次遭遇沉沒與死亡，他們來自德國、法國、南非、阿根廷及紐西蘭及澳洲，尤其以英國、挪威及美國最爲活躍，相對於前者以「發現新大陸」爲目標的探險船隻才只有約25艘，而南極半島的發現與登陸即由前者所完成。另也有私人企業在商業探險之外，並不忘投入前者之活動(見第157頁)。在發現南極大陸之「探險工程」中，這些私人的探險活動具有相當程度之推波助瀾的功能，使得其在早期之南極探險史上亦佔有一份相當種要的地位。其中英國人的參與次數最多，日本則是唯一曾投入的亞洲國家；由於他們無畏艱險之「海洋性格」的表現，積累成這一段輝煌的歷史。

早期長程海上探險面對的困難

在連發動機、電力及鐵殼船都還沒有的時代，早期的長程海上探險需面對許多難題，包括今日看來極爲基本的照明、保暖及保鮮等。另外大者，如航行定位、通信、氣象、醫療衛生、海上安全、救難與補給等也都是在極爲原始的條件下，其中「現代通信連絡」的缺乏應是最不方便的事，它使探險隊一出發後即與

外界全然隔絕，且船與船間的聯繫亦大有問題，使得不乏因此而吃足苦頭的事例，如1901／03年瑞典及1914／17的英國探險活動（見探險選錄第24及34）。以下簡介3項基本困難：

《航行定位》

除了羅盤，光學式的六分儀（Sextant）是最早被使用的航海定位儀器。它用來測量船隻所在與天體（尤其是太陽）間的水平角度，再計算出其緯度和經度。發明者是1730年的英國人哈德雷（John Hadley, 1682－1744）和美國人葛弗瑞（Thomas Godfrey, 1704－49）。

在精度定位方面，英國製鐘者哈理遜（John Harrison, 1693－1776）在1761年造出第1個機械式的精度儀（Chronometer）。它是個直徑約13公分、構造精密、可

靠度高而精準的時鐘，用以告知正確的「格林威治標準時間」，然後據與當地時間作比較以計算出經度並與六分儀相輔使用。

在未有現代精確的衛星定位導航科技之前，早期的長程海上航行實係在某種程度之下摸索，而製作的海圖也因而粗略。

《冰山與海上安全》

大約在接近南極圈附近便會遇到冰山，它是早期南冰洋航行的最大威脅之一。其高度常比早期帆船的桅桿還高，法國的得弗里與美國的威克斯（見探險選錄第14及15）之航海日誌均曾記載有曾被多達近60與100個大小冰山環繞的紀錄。

《人員的身心健康》

高緯度極地之長程海上航行需長期遠離陸地，與親人失去聯絡，隨時面對酷嚴的環境，甚至死亡的威脅，尤其在缺乏先進的相關知識及設備之下隨行工作人員的身心健康極受挑戰。

在心理健康方

六分儀（Auckland Museum, NZ）

面，人性化的領導統御加上娛樂設施及活動的安排，如歌舞演唱、飲(酒)食的調配及圖書研讀等均被採用，但在未電氣化和電子娛樂無等設備之下，人們的活動顯然侷限得很。

在生理健康方面，船醫和醫療設施的配置與船內環境及人員生理衛生的要求等均被採行。早期之長程航行有二個常見的生理疾病：一是痢疾（Dysentry）；一是壞血病（Scurvy）。前者係衛生問題；後者是營養均衡問題，它曾經極嚴重地威脅船員的生理健康：在未有電力保鮮設備的時代，長程的海上航行常仰賴醃肉作為主食，使得因長期缺乏進食新鮮蔬果而攝取丙種維生素所導致的疾病產生，故它又稱為「水手病」。患者會牙齦紅腫、牙齒鬆脫腫脹、關節硬化、貧血及身體虛弱甚而致命。

荷蘭人最早懂得分發柑橘汁給水手們飲用，1719年蘇格蘭醫生林德（James Lind, 1716－1794）首先建議英國海軍當局分發檸檬汁到其船艦上，使得壞血病在其水手間受到控制。英國的庫克船長曾堅持船上必需有適當的菜單，使其水手們能保持良好的健康紀錄，惜後來不知何故英國的鼻斯可（見第126頁）及法國之得弗里的探險隊卻仍有壞血病嚴重肆虐的紀錄。

在完全沒有蔬果供應的南極地區，早期的探險隊進食味道怪異的企鵝及海豹肉以補充有限的丙種維生素便成為一項救急的選擇，如法國之得弗里的探險隊。

陸上探險面臨之困難

早期的南極陸上探險極仰賴滑雪與狗拉雪橇（見第248頁）的交通方式，以下簡介其所面臨之幾個困難：

危險的霧中冰山（作者）

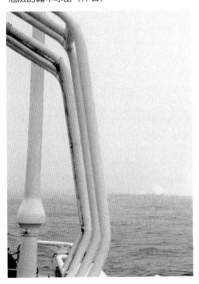

1.風凍效應：強風增加低溫的危險性。

2.雪盲（Snowblindness）：長期處在白色的冰雪中，強烈的反光會使眼睛紅腫及視力減退。

3.曬傷：導因於較長且密集的日照、臭氧層破洞與冰雪表面反射之極為強烈的夏日陽光。

4.南極大風雪：低能見度易使人在強風中無法控制行進方向而迷失。

5.冰浪：人員及雪橇行經其上極易摔倒與翻覆，尤其在能見度低之下更令人視為畏途，常需用冰斧在前開路。

6.冰縫：可能紮營之處便緊鄰冰縫區，一旦掉落不易脫身（事例見第154頁），如覺有異需互相用繩索連繫住再用滑雪杖試探。

另白矇天使人分不清方向，南極下坡風則增強了風凍效應。而飲水的準備、保暖、個人衛生、長期不變的食物、強風中紮營、補給、及其他即如流鼻水的處理（在極低溫下只要數秒就足以凍傷沒帶手套的手指）、墨鏡結霧、野外進食時需避免被極冷的餐具及食物凍傷嘴唇、口腔及牙齒等日常事務都變成煞費周章，而另如修理機械則更是大事。如因天候不佳而中斷行程時，雖然得以在營帳內休息但弔詭的是這樣卻消耗食物而提高了探險的失敗率。

早期的南極探險活動選錄

筆者將「動力航空器在南極大陸的應用」作為人類南極活動史之分水嶺，在它之前的歸為「早期」，之後的劃為「近代」。

現在讓我們來看看那些「海洋國家」的子民如何花了數個世紀在使用極原始的方式與器具，歷經重重艱險甚至死亡，一點一滴地摸索將那原「未知的南方大陸」之圖像逐漸拼湊成型：

(1)《西元前650東加蘭吉歐拉》

西元前650年，傳說中位於南太平洋的東加王國酋長蘭吉歐拉（Uite-Rangiora）曾以其戰船阿提亞號（Te-Lui-O-Atea），向南航行直到遭遇一片有如雪白份磨覆蓋及隆起入天際之大岩塊的海洋。

(2)《1497葡萄牙人達伽瑪》

南極大陸的發現與早期之探險活動

1497年，葡萄牙人達伽瑪（Vasco da Gama, 約1469－1524）之海上探險隊繞過非洲南端再東行至印度附近，而發現非洲大陸沒有與傳說中之「南方大陸」連在一起。

(3)《1519/22 葡萄牙 麥哲倫》

1519至1522年間，葡萄牙人麥哲倫（Ferdinand Magellan, 約1480－1521）使用維多利亞號（Victoria）帆船作了人類首次的環球海上探險。他發現並命名了今日智利之火地島（Tierra del Fuego），以及發現南美洲大陸不與那「南方大陸」連在一起。

(4)《1577/80 英國 德瑞克》

1577年12月，英國人德瑞克（Francis Drake, 1540？－1596）受英皇伊利沙白一世之密令率旗艦金鹿號（Golden Hind）等共5艘帆船及人員166人作其首度的環球航行。他經南美洲南端進入太平洋，並繞過非洲南端而在1580年9月回到英國。

當他橫渡南美之麥哲倫海峽時，曾在其1578年8月24日的航海日誌上作了**人類首次看到企鵝的記載**：我們看到奇怪的鳥，它們不會飛也不能快跑。他這趟「既作海上探險亦伺機劫掠的航行」也未發現那「南方大陸」，但今日南美洲與南極半島之間的德瑞克海峽（Drake Passage）卻因其得名。

(5)《1642/43 荷蘭 塔斯瑪》

1642年，荷屬東印度公司之塔斯瑪（Abel Janszoon Tasman, 1603－1659）率領一個海上探險隊東行，使用的是一艘32.3公尺、120公噸的星思可號（Heemskerk）帆船。

原以為他所發現之今日的澳洲之塔斯馬尼亞及紐西蘭(*3)之南島便是那「南方大陸」，惟後來很快地察覺根本不是。

(6)《1738/39 法國 布威》

學生時代的法國人布威（Jean-Baptise Charles Bouvet de Lozier, 1705－?）由於由於看到地圖上之遠南地區一片空白極為驚訝，1738年7月，終得其老闆的資助而領著愛傑（Aigle）與馬麗號（Marie）帆船南行以找尋傳說中的剛尼維爾(*4)和「南方大陸」。

次年1月，他們在南非以南，發現了今日挪威之亞南極島嶼——布威島，原以為那是「南

方大陸」突出的一部份，後來終發現不對。

(7)《1771／72 法國 克華倫》

當法國國王路易士15世正思擴張其在遠南印度洋的霸權時，克華倫（Yves-Jeseph de Kerguelen, 1734—?）船長提出的「剛尼維爾及南極探險計劃」適時在1770年9月被採用。

1772年2月12日，他領著白亞號（Berryer）在印度洋之高緯度海域發現了一個陸地而原被以為是那「南方大陸」的一部份，後來察覺那只是一些島嶼。但他回國後卻謊報那是個適合殖民的新陸地，導致後續1773～74年的烏龍探險──帶法王交給他的700人去墾殖不成，而後被軍法審判並逐出海軍，惟卻沒影響那些亞南極島嶼被命名為「克華倫群島」。

(8)《1772／75及1776／79 英國 庫克》

1772年7月，曾經在1768至1771年間作觀察金星運行的探險航行，而發現澳洲東海岸並抵達紐西蘭的庫克（Jame Cook, 1728－1779）船長開始了他為期3年多之「英國國家南極探險隊」，使用的是果斷號(Resolution)和冒險號（Adventure）運煤帆船，前者只有33.7公尺長。

次年1月17日，他空前地越過南極圈抵達並命名了今日的南喬治亞（見第109頁）及南三明治群島。他曾區折地作了**人類第一次環繞南極大陸外環航行**並三度橫越南極圈甚至曾深入到71°10′S(約在90°～150°W間)，惟運氣不佳，該處附近正是南極大陸海岸向內凹的地方致無功而返。

1776年7月，他又開始了其第二次南極探險而在南非以南發現並命名為「愛德華王子島」。遺憾的是，於1779年1月，庫克船長在夏威夷附近被原住民所殺。

由於仍無所獲，發現南極大陸之探險活動乃停息下來，但庫克船長在南冰洋海域發現許多具經濟價值之海豹、企鵝及鯨魚海豹等的消息卻鼓舞了許多私人的商業海上探險活動。

(9)《1819／21俄羅斯白令豪山》

1819年7月，白令豪山（Fabian von Bellingshausen, 1778

— 1852）船長率領了第一個極有計劃的「俄羅斯國家南極探險隊」出發，使用600公噸、外覆銅皮的東方號(Vostok)及530公噸之和平號(Mirnyy)，人員分別為117及22人。

他先到英國蒐集資料及購買航海儀器，然後南下南三明治群島，並在次年1月26日作自庫克船長以來之首度橫越南極圈。次日，終於在2°14′W, 69°21′S 看到一片冰原——即今日的芬布利笙（Fimbulisen）冰棚附近，而成為**世界上第一個發現到那「南方大陸」的人，這也是人類首次確定南極圈以南有陸地。**

1821年1月，他首度深入今日南極半島西側即今日的白令豪山海，並曾抵達最南的緯度——92°19′W, 69°53′S且陸續發現及命名了與其相連的「亞歷山大島」與今日挪威屬的「彼得島」。於回程途

中，他曾在南雪特蘭群島驚遇由帕碼船長所率領的美國南極探險隊（見探險選錄第12）。

白令豪山作了「人類第二次環繞南極大陸外環航行」，並前後橫越南極圈7次。惜其成就並未受到該國之重視而沒有後續的探險活動。直到第二次世界大戰結束的冷戰時代，當時的蘇聯政府才積極地回頭參與南極事務。

(10)《1819 / 20英國史密斯及布朗斯菲得德》

1819年2月19日，英國捕海豹商人史密斯(William Smith)在南極半島北端西側發現了南雪特蘭群島。該年12月，在南美洲的英國海軍即租用他的船威廉斯號(Williams)而由布朗斯菲爾德(Edward Bransfield,1795—1852)與其共同前往勘查。

次年1月30日，即白令豪山首度發現南極大陸後第三天，他們**首度發現了南極半島的陸地——在**

白令豪山
(Canterbury Museum,NZ)

今日其北端西岸的特尼替(Trinity)半島的位置，惟其並無登陸(*5)而沿著附近海岸製作海圖。今日該群島與南極半島間即名爲「布朗斯菲爾德海峽」。

(11)《1819／21及1822／23蘇格蘭威斗》

1822年9月17日，蘇格蘭之威斗（James Weddell, 1787－1834）船長繼他的1819／21年商業探險之行後，在其老闆史特拉臣（James Strachan）的資助下開啓了他的第二次南極探險活動，使用的是165及65公噸之傑恩(Jane)與美弗伊號（Beaufoy)帆船，人員分別爲22及13人。

他曾抵達南奧克尼群島搜集了6張前所未見的海豹皮，這便是「威斗海豹」的由來。次年2月，他們曾在今日以其爲名的「威斗海」深入到34°16′W, 74°15′S的位置而諦造了人類抵達最南緯度的新記錄，比當年庫克船長更南行了345公里，即使今日的破冰船也不容易。惟南極大陸海岸也正好在該處附近凹入，而未有所獲。

(12)《1820／22美國帕碼》

1820年11月12日，14歲開始航海，當年只21歲美國之帕碼（Nathaniel Brown Palmer, 1799－1877）船長以只有45噸的英雄號爲首之3艘商業捕海豹船隊自福克蘭群島第二度前往南雪特蘭群島。

該月16日天候極佳，他宣稱目睹特尼替島及其後的南極半島。次年2月，他驚遇白令豪山的船隊（見探險選錄第9），後者極訝異於該年輕船長（爲早期南極探險史上最年輕者）對該地區之了解，而將其所發現的南極半島海岸名爲「帕碼領地（Palmer Land）」(*6)。

次年12月，帕碼與途中結識的英國之波威爾（George Powell）船長，共同發現了南奧克尼群島。

(13)《1830／33英國鼻斯可》

1830年7月，英國之恩得比兄弟公司（見第157頁）旗下的鼻斯可（John Biscoe, 1794－1843）船長使用150及50噸的度拉（Tula)與快活號（Lively)帆船進行了其商業及尋找南極大陸之探險活動。

次年2月24日，他們除**首度**在印度洋的方位**發現並命名**了南

極大陸的恩得比領地（Enderby Land），**也記載了南極光的奇麗**。1832年2月，他們續於南極半島西海岸發現及命名了阿德雷（Adelaide）及恩弗思（Anvers）島。

　　在壞血病的嚴重肆虐下，鼻斯可以東行完成了「人類第三次環繞南極大陸航行」。雖沒捕獲多少獵物又折損人員與船，但其老闆並不在意，而剛成立不久的英國皇家地理學會更以金質獎章表揚了他。

(14)《1837/40 法國得弗里》

　　1837年9月7日，17歲即參與海上活動的海軍軍官得弗里（Dumont d'Urville, 1790—1842），率領了一個由380與150公噸之阿斯特拉比（Astrolabe）與智麗號（Zelee）組成的「法國國家南極探險隊」南下，菲利普國王重金鼓勵其打破前述威斗船長所創之最南緯度記錄並**首度搜尋「南磁點」**。

　　次年2月，他們的船在威斗海域首度被浮冰卡住，經過挖掘航道與幸運在1週後終脫險。1840年1月，得弗里自澳洲南下而在19日發現並命名了南極大陸

的「阿得里領地（Adelie Land）」，為感念其妻三度同意他從事長期探險活動而**第一個少數以親人之名作為南極的地名**。在附近搜尋南磁點之航行中，他們驚遇由威克斯船長所率領之美國探險船海豚號，惟雙方並沒有停船交談（見第128頁）。

　　在經歷壞血病肆虐使全體190多人中折損了20多人，得弗里於該年11月回到法國，所有人員均受重賞且其更升任為少將，英國的皇家地理學會亦頒給他金質獎章。今日法國南極科學研究站（見第225頁）與其所處之阿得里領地附近海域即以其為名。

(15)《1838/42美國威爾克斯》

　　1838年3月，美國海軍上尉威爾克斯（Charles Wilkes, 1798—1877）被命為其「美國國家南極探險隊」指揮官，而開啓了準備最不周全、過程也不順利甚而被視為「最烏龍」的南極探險活動。

　　首先是海軍部門的杯葛使指揮官人選一改再改，而陣容雖大，尤其包括780公噸的旗艦文生尼斯號（Vincennes）等6艘船根本是雜牌軍——太老、太慢，甚

至船舷太低海浪會越入船內，另連最基本的禦寒衣物也不對，而總數430位人員之間亦不合作。

船與船間的通信很快發生問題，但他們仍奮力在次年3月25日南達70°S，而比庫克船長多南行了1°10'。

在自南美西行到澳洲後，威爾克斯在該年12月隨行帶了**第一條前往南極地區的狗**自雪梨南下。他們在1840年1月16日於66°S, 154°30'E比得弗里早3天在很接近之地區看見南極大陸，並在3天後登陸以確認。惟搜尋「南磁極點」卻同樣無所獲，他們卻於29日驚遇得弗里之法國探險隊，其雙方沒有停船交談的理由成為南極探險史上的一個謎題。在西行途中，他們發現了今日的「雪可頓（Shackleton）冰棚」。

威爾克斯等沿南極大陸海岸航行了近2000公里，發現並命名了許多山脈及海岬並製作了太平洋上300個小島的海圖及收集許多科學資料。但在1842年6月回國之後，其空前之成就卻換來了軍事審判及公開申誡，美國當局甚至只印刷了100份此次深具歷史性的南極探險報告入檔了事。所幸後來雪可頓冰棚附近之一大片南極大陸海岸地區仍被命名為「威爾克斯領地」。

(16)《1839／43英國 羅斯》

在共參與六次之北極探險活動中，11歲即加入海軍而時年31歲的羅斯（James Clark Ross, 1800－1862）船長，在1831年5月31日首先於加拿大北方的布希亞（Boothia）半島實地找到北磁點。1839年10月15日，在其政府及皇家地理學會的充分支持下，他率領了一個由370及340公噸的2艘帆船組成的「英國國家南極科學探險隊」南下找尋「南磁點」。

在經澳洲南下後，他避開已得知美國人威克斯及法國人得弗里所活動的地區向東南深入而發現了今日之羅斯海。1841年1月起，他們陸續發現了附近之屬地（Possession）島、富蘭克林（Franklin）島、羅斯島與其上二座分別以其兩艘船為名的愛樂伯斯（Erebus）和太樂（Terror）火山（見第37頁）、維多利亞領地（Victoria Land）和阿達里（Adare）岬以及羅斯冰棚。

雖經過計算而得知南磁點應在

南極大陸的發現與早期之探險活動

維多利亞領地之內陸——75°30'S, 154°E，惟浮冰阻隔他們無法登陸。羅斯等人在以其370及340噸的2艘帆船諦造了即便是現代數千噸之船舶亦無保握的南行最高緯度新紀錄——深入其所命名的麥可墨得峽灣（McMurdo Sound）至78°9.5'S後，退回澳洲。

1843年9月，他們在經歷後續於羅斯及威斗海域均無所獲之後返抵英國。其在**羅斯海域首度成功的地理發現**卻開啓了往後在該地區一連串的海陸空探險活動，並使其成為進出南極大陸的一個重要門戶與歷史性地區。

(17)《1872／76英國耐爾及湯森》

1872年12月21日，在其政府與皇家地理學會的資助下，愛丁堡大學的湯森（Charles W. Thomson）教授與耐爾（G. S. Nares）船長開啓了「英國國家南洋自然科學探險活動」。其使用了空前大型達2345公噸有實驗室、圖書室及相片沖洗室等完善設備的挑戰者號（Challenger）帆船，是**第一艘南極科學研究船，也是第一艘越過南極圈具有蒸氣輔助動力的船舶。**

他們一行約240人經南美東岸再東行至印度洋中之克華倫群島，建造了一個金星觀測站並採集了有名的克華倫甘藍菜。1874年2月，繼續南下到今日之阿美麗冰棚（見第50頁）近海打撈南極岩塊標本，後經紐、澳返國。

在為時3年半的海上探險活動中，隨行的科學小組作了許多標本，採集及動植物、海洋、地質、地磁、氣象、大氣及天文等研究，並沿途設立了氣象、地磁及天文觀測站，這是人類近代自然科學研究的創舉並開啓了南極地區的科學研究。

(18)《1892／93及93／94挪威拉森》

14歲時即上船工作的挪威人拉森（Carl Anton Larsen, 1820—1924）曾參與1888年知名的航海家南森（Fridtjof Nansen）(*8)的北極格陵蘭海上探險活動。1892年9月，他率領捕鯨業鉅子克利斯登森（見第158頁）的商業探險隊前往南喬治亞島試圖設立捕鯨站後到南極半島附近活動，惟因未能找到所要的鯨魚而攜回許多海豹皮與海豹油。

1893年底，他又率了3艘蒸氣船包括在北極使用有名的傑森號（Jason）、哈撒（Hertha）及卡斯特號（Castor）（*9）前往南極半島。他們發現並命名了奧斯卡國王二世（King Oscar II）海岸、拉森（Larsen）冰棚，並首度在南極半島作滑雪陸上探險，甚至在些蒙（Seymour）島上發現了木頭化石——**為人類首度在南極地區發現化石**。

1901年，拉森又擔任船長參予瑞典之諾頓史爾德的南極探險活動（見選錄第24），並於1904年11月成功地在南喬治亞島上之葛萊維根設立了捕鯨站。

(19)《1893／95挪威 布爾》

1893年9月20日，挪威人布爾（Henryk J. Bull, 1844－1930）在捕鯨業企業家福恩（Svend Foyn）（*10）的資助下南行探險以評估將羅絲海域開發為捕鯨場的可行性。其使用的南極號是226公噸具有蒸氣動力的捕鯨帆船。

沒有鯨魚卻捕到不少海豹，

南極過冬中的百吉卡號（Canterbury Museum, NZ）

他們一行31人曾掙脫於紐西蘭南方海域之擱淺而前往澳洲修船。挪威之自然學家包契格瑞文克(見探險選錄第21)加入了他們。次年11月初，他們曾在南冰洋驚遇原以為是陸地的一個擱淺高達約180公尺之大冰山，後又退往紐西蘭之但尼丁修船並增募了4位該國的水手。

1895年1月18日，他們深入了羅絲海而在屬地島上發現了「地衣」——**為人類首度在南極圈內發現植物**。24日，繼登陸了阿達里岬——**為人類首度在大陸南極的登陸**，惟誰最先在其上留下歷史性的腳步卻有爭論(*11)。他們在那裡收集了地衣、海草、岩石，甚至捕捉企鵝當研究標本後離去。

儘管此行在商業上的收穫乏善可陳，但他們引發了後續一連串的南極陸上探險活動。

(20)《1897 / 99 比利時 葛拉治》

1897年8月16日，29歲之海軍上尉葛拉治(Adrien V. J. de Gerlache, 1866－1934)船長在布魯塞爾地理學會Brussels Geographical Society)的主辦募款與其政府之部分資助下，雖經費不足卻仍啟程進行了有名的「比利時國家南極科學探險活動」。

此行使用的百吉卡號(Belgica)為一30公尺、250公噸並配有輔助引擎的捕鯨帆船，大副為25歲的挪威人阿蒙生(見探險選錄第29)。而研究人員有比利時的磁力及天文學家、俄羅斯的氣象學家、羅馬尼亞的動物學家、波蘭之地質學家以及有名之美國外科醫生庫克(Frederick A. Cook)(*12)。

他們遲在12月中才自智利揚帆南下，後在南極半島北端地區發現及命名了葛拉治海峽、丹可海岸(*13)和數個島嶼並製作海圖，另又**首次作了約20次的密集登陸以及影像紀錄**。

當時序不早應是返航的時候，但他們卻繼續深入白令蘇山海。而自次年3月1日起，百吉卡號終在亞利山大島西側海域被冰封而進退不得。在毫無任何準備之下，他們被迫在60°S以南作**人類首次之南極越冬（Winter over）**，而讓科學家**首次能進行全年性的南極天候觀測**。在永夜期間即便在中午時份也只能在北

邊地平線見到微光，間或是終日冷月相隨。庫克醫生適時安排牌局遊戲以排遣船員們因惡劣的天候、無盡的黑夜、孤寂甚至幾乎棄船的恐慌所帶來的心理壓力，並力主**將人們厭惡的企鵝和海豹肉首度排入菜單**以對抗悄悄地降臨、致命的「壞血病」。

在冰封期間，他們曾作了**人類第一次南極浮冰上風帆雪橇及長距離的滑雪探險之旅**。1899年的1月，庫克醫生建議使用手鋸及炸藥在1公尺厚的浮冰上開鑿一長約600公尺的水道以通往無結冰的水域，惟花費約一個月才完成的工作卻在一陣刮風下而前功盡棄。眼看著冬天的腳步又近，百吉卡號在歷經377天的冰封並隨浮冰漂離了約600公里後，幸在3月14日脫險。

在11月回到比利時後，力歐普(Leopold)國王予與他們授動獎勵，庫克醫生則受到全體衷心的禮讚。儘管「葛拉治自南美延遲出發是否有意？」一直為人們心中的疑團，但此行卻鼓勵了後繼者在南極大陸設立基地而從事「全年性」之探險活動。

(21)《1898／1900 挪威 包契格瑞文克》

在參與1893／95年布爾的南極探險並成功地登陸阿達里岬後(見第131頁)，母親為英國人的挪威人包契格瑞文克（Carsten E. Borchgrevink, 1864－1934）決心成為第一個在南極大陸過冬的人。1897年，經奮力募款幸得英國出版商紐恩公爵（Sir George Newne)的大力資助，並放手讓其主導整個探險活動，使用的南十字星號為懸掛英國國旗的挪威捕鯨船，另在31位隊員中，亦絕大多數為挪威人。這使得自1880年代中期便主導英國大型南極探險計劃，且自始不支持他的皇家地理學會百味雜陳。

1898年8月23日，他們啓程經澳洲南下。521公噸、配備強力蒸氣動力的南十字星號花了43天方突破浮冰阻隔，而在次年2月18日登上阿達里岬。繼之在以包契格瑞文克之母命名的理萊(Ridley)海灘上，用預造的堅固建材及海豹皮作絕緣組成了2棟簡易的「包契格瑞文克木屋（Borchgrevink Hut)」，其主建築長寬為6.4及5.5公尺，**這是南極大陸上之第一個古基地**，在留下

南極大陸的發現與早期之探險活動

包括 3名英國人、2名芬蘭人、1名澳洲人及4名挪威人等共10位精選的隊員後，南十字星號在3月2日退往紐西蘭過冬。

在入冬之前，他們在附近進行陸上雪撬探險並收集了地質及動植物標本，而現今其附近的一條紐恩公爵冰河即以其資助人為名。他們亦經歷了嚴苛的心理、生理艱難，甚至遭遇了二次，均是燃煤所引起幾乎致命的意外——通風不良的煤煙窒息與火災以及掉入冰縫，所幸能脫險。另值得一提的是：由於是首次長居在了解有限的南極大陸，他們曾儲備相當的彈藥以防止有如北極熊之兇猛動物的侵襲。

1990年1月28日，南十字星號重返。在深入墨可麥得峽灣並登陸屬地島、羅斯島及羅斯冰棚作動植物、地質標本收集、地磁觀測、南磁點位置計算及海圖製作等後回國。

此行中有數項人類南極探險史上之重要紀事：

1.建立第一個南極大陸上之基地並在其上過冬，且長住了將近1年，這證明人類在南極大陸長住的可行性，而鼓舞了後繼者之陸上探險活動。

包契格瑞文克木屋（Canterbury Museum,NZ）

2.他們隨行帶有75條西伯利亞狗,並**首度登陸羅斯冰棚作長程雪橇之旅且南達空前的78°50'S及攝影**,這是狗拉雪橇首度在南極大陸之使用而開創了長程陸上探險的先河。

3. 隊員挪威動物學家漢森(Nicolai Hansen)於1899年10月14日病世,這是第一個在南極大陸去世的人。他被葬在附近的山脊而為**惟一被葬在南極大陸的人**,而該漢森之墳(Hansen Grave)亦成為**南極大陸第一個墓**。

4.隊員英國磁力及測量學家科貝克(William Colbeck)曾詳細製作了羅斯海域地圖,這對日後以該地區進出而作之陸上探險活動助益良多。

5.此行為**首次純私人資助的南極探險**的典範,雖經費有限,卻極豐收。

6.他們**首度攜帶脫水食物(有2噸)同行**。

在挪威,包契格瑞文克一行人的空前成就受到策封爵士的獎勵惟在英國卻直到1930年,權威曾被挑戰的皇家地理學會才承認他的事蹟而頒獎給他。
(22)《1901/04 英國 史考特①》

當英國的皇家地理學會正在籌備另一個南極探險計劃之際,前述的包瑞格瑞文克卻已完成了其南極過冬之探險活動而返。1900年6月,他們迅即聘請了13歲便加入海軍,當時才32歲的史考特(Robert F. Scott, 1868－1912)作為該「英國國家南極探險隊」之領隊,主要目標即在征服「南極點」。

除使用全新、裝備良好、船頭包覆鐵皮、長53公尺及配備蒸氣動力的科學研究帆船──探索號(Discovery)之外,英王愛德華7世(Edward VII)更在1901年8月5日親身送行。他們一行45人在取道紐西蘭之基督城南郊的麗頭頓(Lyttelton)及但尼丁之查摩斯(Chalmers)港整補與接受捐助後,南下羅斯海域。

次年1月,在經阿達里岬後,在羅斯冰棚東緣發現並命名了愛德華國王七世領地。2月4日,他們在鯨魚灣(Bay of Whales)登陸作雪橇陸上探險曾深達79°3'S,又作了南極大陸首度之空中飛行──搭乘以繩索繫住之伊娃號(Eva)氣球上昇到245公尺之空中俯瞰羅斯冰棚,

隊員雪可頓更在其上作第一次的南極空中攝影。

　　在繼續深入麥可墨得峽灣後，他們於羅斯島上搭建了一個陸上基地——有三個木屋，二個爲地磁研究室，大的一個作爲一般科學研究及娛樂活動用，那便是今日仍保存良好之「史考特探索木屋(Scott Discovery Hut, 1902)」，其長寬爲9.3及9.1公尺，而原要回紐西蘭避冬卻被冰封在峽灣中的探索號則被使用爲指揮管理及日常起居。他們還在船首裝設了風力發電機而**首度在南極擁有電氣照明**，惟不久即被暴風吹毀。而一趟雪橇之行，卻造成年輕隊員文生 (George Vincent) 的意外死亡。有紀念十字架即在今紐西蘭基地附近（第234頁）。

　　時序之推移在進入了4個月之後，各種科學研究活動即陸續展開。雪可頓開始在船上**出版了南極地區之第一份刊物——南極月刊** (South Polar Times)；配合娛樂安排，他們的南極過多極爲平順。

　　在路徑偵測及設置補給點後，11月2日，史考特率雪可頓及動物學家威爾遜 (Edward Wilson) 博士等3人、19條狗及5部雪橇出發，向南極點挺進。11月29日，另一個小隊則西行以探

史考特探索木屋(1902)（作者）

訪維多利亞領地而**首度登上南極高原**（見第46頁）。

　　拙劣的滑雪技巧、缺乏操作狗拉式雪橇的經驗、補給點不足、路徑不熟及壞血病之侵襲人畜加上天候不佳，他們漸顯敗象。體弱的狗被射殺以作狗食，人力拖行雪橇之負擔則逐漸增加。雪可頓因壞血病受命與狗留在途中，另2人奮力推進到空前的82°16.5' S——離南極點約750公里，後折返。動物相繼死亡，每人拖行的雪橇荷重則約達77公斤，食物卻因無法定期趕到補給點而供應不繼。在曾參與包契格瑞文克之探險隊並製作羅斯海域圖的科貝克已率補給船自紐西蘭抵達，以及西行小隊首度登上海拔2740公尺之極地高原安返基地後，史考特的南行小隊方在1903年2月3日結束了為時93天、約1600公里未成功之**人類首次南極點陸上探險**而狼狽地歸來。

　　由於探索號仍被冰封、時序又近秋日，補給船早晨號即先撤退了8名隊員——包括被認為健康不佳卻極不願意的雪可頓。

　　第2個較酷冷的冬天過後，史考特曾在10月底率了一個9人小隊重作了一趟維多利亞領地之行，他們發現了無冰的「乾峽谷」。1904年1月5日，早晨號與加派來的新星號 (Terra Nova) 再度抵達，伴隨來的命令是：如在6週內拯救無效，探索號需被棄船。不停的手鋸與爆破加上運氣，在該年的2月16日——下一個秋天降臨之前，3艘船終能相偕回航。

　　雖然未能一舉征服南極點，但史考特等人卻連續過了二個南極冬天，而進一步證明了在南極大陸作長期活動與長程陸上探險的可行性。

(23)《1901 / 03 德國 德賴佳斯基》

　　續在1898年被其南極委員會認命為一南極探險計劃之總策劃後，曾有4年率領北極格陵蘭探險隊經驗的柏林大學地理學教授德賴佳斯基 (Erich D. von Drygalski, 1865－1949)，於1901年8月11日率領著總數只32個人的「德國國家南極探險隊」使用了特別建造、配備動力引擎、1442公噸的3桅帆船高斯號 (Gauss)，取道南非之開普頓 (Cape Town)南下。

　　次年2月，他們除發現了今

南極大陸的發現與早期之探險活動

日的「德賴佳斯基島」，舟並在90°E附近的方位看到南極大陸且將該約寬達1000公里之海岸地區以其國王之名命爲「威廉二世領地（Kaiser Wilhem II Land）」。惟原在陸上建立基地的計劃，卻因高斯號被浮冰卡住而作罷。他們只好就地以船爲基地展開各項科學研究及**首度登上東南極大陸並作雪橇陸上探險**，因而發現並命名了一個稀有的小火山——「高斯柏格（Gaussberg）嶺」且採集了其火山岩標本。他們**建造了一個風力發電機**（與前述英國之史考特同列爲最早者），並使用一繫著繩子的氫氣球上昇到空前約500公尺的空中俯瞰南極大陸，又**首度使用電話設備**與船上通話，甚至**首次使用愛迪生留聲技術以錄下企鵝叫聲**。

南極長夜雖在平順中度過，連夏日也已降臨，但歷經鑽、鋸及爆破的努力，卻仍未能解除高斯號被5、6公尺厚的浮冰卡住的困境。12月初，德賴佳斯基無意中發現甲板上覆蓋著來自煙囪掉落之黑色煤渣的積雪在陽光下慢慢融化，於是他下令船員們將煤灰混合食物殘渣及垃圾等，鋪蓋

在那分離高斯號與一片寬闊可以航行的海域之一路約600公尺之浮冰上。1903年2月8日，被卡了幾近一年（353天）的高斯號終於脫險。因時序不早且浮冰不斷漂來，在製作了威廉二世領地海岸圖後，他們於3月31日回航南非，但其冬天後再南下的計劃卻被取消，而結束了該國第一次的南極探險活動。

(24)《1901／03 瑞典 諾頓史爾德》

家屬之北極探險與自身的南美洲探險活動經歷，使只有32歲的地質學家諾頓史爾德（Nils O. G. Nordenskjold, 1869－1928）贏得了主導「第一個在南極半島上過冬」之「瑞典國家南極探險計劃」。

此行採用1893／95年挪威人布爾的探險活動所使用之堅固的捕鯨帆船——南極號，船長則爲先前主持過二次挪威南極探險活動的拉森（見探險選錄第18），而28位人員中有8位科學家及1位美國畫家。

1901年10月16日啓程，在路經阿根廷時，其1名海軍上尉加入爲過多隊員。次年1月起，他

諾頓史爾德木屋（Adventure Associates Pty.,Australia）

們陸續在南極半島尖端及其西岸附近有了一些地理發現；惟因浮冰阻隔，想沿東岸南下的計劃受阻。2月9日，諾頓史爾德與5位隊員在其東北端附近的雪嶺(Snow Hill)島搭建了一個地磁觀測站及長6.4公尺、寬為4.1公尺的過冬木屋——那即**是南極半島之第一個古基地**之「諾頓史爾德屋（Nordenskjold Hut, 1902)」後留下，其餘隊員隨南極號前往福克蘭群島避冬。

由於天候惡劣，整個冬天幾乎只能躲在屋內。到了10月之春天時節，他們曾有3個人的小隊

花了前後33天冒著掉入冰縫的危險在浮冰上步行到約280公里外，而**第一次登上南極半島東部海岸**。12月初，他們又作了一趟狗拉雪橇之旅到其附近不遠的些蒙島，與當年拉森之挪威探險隊同樣地發現了包括大企鵝骨頭等之化石。

而11月間，南極號在避冬之後，卻因浮冰阻隔而只好在南極半島尖端放下3人以步行拖拉雪橇前往約320公里外的雪嶺島。但在繞道南下途中，它卻先被浮冰卡住繼而於隔（1903）年2月12日沉沒。逃脫的隊員們只好以雪

橇載負緊急地撤出的一些裝備在浮冰上跋涉至當月28日方抵達鄰近的寶麗特（Paulet）島。而那3人小隊因海水阻隔只好在途中安頓下來，等待南極號回程的接應。整個探險隊被切成3小隊分處各處，而秋日已近、冬季不遠，他們只能各自安頓以面對未知的命運。

寶麗特島的20個隊員們只好辛苦地就地取材建造了一個長約10公尺寬7公尺之雙層外牆的玄武岩石板屋，然後讓冰雪覆蓋以避刺骨的寒風，另又捕殺儲備了1100隻阿得里企鵝為食物及燃料。隆冬中，隊員溫那斯加得（Ole Wennersgaard）病逝。而3人小隊則就地取材地於營帳外造了加護石牆、以倒放的雪橇作屋樑、用舊帆布和木板為屋頂並在地上舖企鵝皮而成極簡陋的木屋以棲身，另儲存了約700隻企鵝及一些海豹，冬天在艱難卻平順中熬過。意外與幸運的是──在10月12日，他們在前往雪嶺島途中巧遇諾頓史可德等人。前者每人蓬頭垢面──面孔被取暖及煮食的油煙燻得污黑且穿戴極為邋遢，後者誤以為是遭逢其他不明人種而差點拔槍以對。寶麗特島的拉森船長則於10月31日領著5個隊員划著小艇，在尋找那3人小隊不成後，轉往雪嶺島。11月8日，阿根廷的海軍搜索船陸續發現了他們。3天後，當他們抵達寶麗特島時，餘下之13名隊員才正儲備了6000個企鵝蛋為食以作長期抗戰。

儘管歷盡空前的艱險，該探險隊仍然作了一些地理發現，如位在南極半島與端東岸的「加斯塔夫王子海峽（Prince Gustav Channel）」並精確地製作了一些海圖，而一些科學研究也在其受難期間展開。

(25)《1902 / 04 蘇格蘭 布魯斯》

已有1航次南極捕鯨之旅經驗的蘇格蘭人布魯斯（William S. Bruce, 1867－1921），因故未能趕上在澳洲墨爾本加入挪威人布耳的1894／95南極探險活動，在經歷數航次的北極探險並婉拒了史考特的1901年南極探險活動後，幸得到可茲（Coats）兄弟之資助而進行了他主導的南極探險活動。

1902年11月2日，布魯斯等

人啓程南下威斗海域。使用的船隻是改裝自挪威的蒸氣捕鯨帆船史考提亞號（Scotia），隨隊有7位科學人員。

因浮冰受阻，他們無法深入後折回南奧克尼群島。次年4月，他們在其中的勞麗（Laurie）島上建造了一個地磁及氣象觀測站和一棟石屋名為歐蒙屋（Omond House），作為過冬的基地，科學研究工作便相繼展開。

11月底，在才自厚達5～6公尺之浮冰中脫困並留下6人小隊繼續從事科學研究後，史考提亞號即前往南美洲補給。布魯斯在那裡請英國政府派人到勞麗島之氣象站作業的要求受挫，意外地是阿根廷政府卻接下這個工作並延續至今，這即是今日**南極地區最古老且未曾中斷運作的科學研究基地**——「澳卡達斯（Orcadas）研究站」（見第220頁）的由來。

1904年3月，史考提亞號再度深入威斗海域。比當年（1822年2月）之威斗船長幸運的是：布魯斯等人所抵達位置的經度較偏東，同樣在緯度74°S附近，他們發現並以其資助人命名了一片突出的南極大陸海岸，那便是今日的「可茲領地」。惟浮冰阻隔，他們卻未能找到適當的登陸地點。

布魯斯等人除了**首度拍攝一系列的南極動態影片**之外，還**首開廣泛之企鵝研究的先河**，包括錄音及其棲息處之調查等。另外，他們也作了一系列的南極攝影紀錄。1904年7月15日，在豐收而回後受到熱烈的歡迎。

布魯斯逝於1921年，他的骨灰被攜往散撒在南冰洋而永浴在充滿自然之美的南極世界。今日在威斗海之北側海域即以其船名命為「史考提亞海」，以紀念他們最早在該地區所作的廣泛之海洋調查及科學研究。

(26)《1903／05 法國 夏爾科①》

當代知名的法國老夏爾科（J. Martin Charcot, 1825－1893）醫生(*15)之子——具富有的家庭背景且酷愛海洋的外科醫生夏爾科（J. B. Charcot, 1867－1936）在得知瑞典的南極探險隊未按時歸來的消息（見探險選錄第24）後，將其包括自費特殊建造的一艘245公噸、配備蒸氣輔助動力、加強船體結構、防水隔艙及

南極大陸的發現與早期之探險活動

科學實驗室的3桅帆船——法蘭西斯號（Francais）的北極探險計劃改成南極搜救及科學研究探險。此舉贏得了其國人更大的參與及資助，包括當時的勞勃特（Emile Loubet）總統、國家科學院、自然歷史博物館和地理學會均全力支持，而被視爲得力助手，1897/99年比利時南極探險隊之領隊葛拉治（見探險選錄第20），被延聘加入。

1903年8月27日，該「法國國家南極探險隊」啓程。在11月間路經阿根廷時，他們曾邀脫險歸來的諾頓史可德等人登船探訪，但葛拉治卻因故臨陣離隊。

至次年2月中，夏爾科等人在雪特蘭群島中的溫克（Wiencke）島上發現一個優良的港口，而以其海事部長之名命爲洛克來港（Port Lockroy）。接著他們在伯斯（Booth）島上建造了數個儲藏小屋及一個地磁觀測站，並以船爲家且在夏爾科精心安排的食宿、娛樂與近程的雪橇探險與科學活動中平順地度過。春天降臨後，他們曾有5人小隊歷經5天在薄冰中涉水推舟運送裝備抵達南極半島北端西岸而詳細地製作附近海圖。

他們曾南下到亞歷山大島附近，惟法蘭西斯號卻於1905年1月15日觸礁及引擎故障。在初步急救及日夜輪流手搖抽水之下，經一個月方勉強駛抵阿根廷。他們將該船出售，改坐客輪回國。

5月5日，在全體返抵法國時得到英雄式的歡迎。除了科學調查，夏爾科此行精細製作了涵蓋約1000公里的地理海圖；儘管船隻損壞，但包括度過了一個南極冬天他們卻是全程平安。夏科爾雖賠上了他的婚姻(*16)，但他卻開啓了富人親身參與南極探險活動的先例。

(27)《1907／09 英國 雪可頓①》

16歲即上船工作的愛爾蘭人雪可頓（Ernest H. Shackleton, 1874—1922）曾參與1901／04年之史考特的南極探險隊（見第135頁），當他在1903年被提早遣回時，便已暗下決心有一天要重返南極。1907年8月7日，33歲的雪可頓在皇家地理學會、鋼鐵公司老闆皮爾德摩（William Beardmore）及澳洲政府的資助下，率領了一個南極點探險隊出

發。但因經費不夠充裕，使用的是船齡已40年但具有北極探險經歷的老蒸氣3桅帆船——大獵人號（Nimrod）。

1908年元旦，他們自紐西蘭之麗頭頓港南下羅斯海域。大獵人號被另一功亞號（Koonya）拖行了約2500公里至接近浮冰以節省燃煤後回航，後者因而成為**第一艘橫越南極圈的鐵殼船**。

由於行前被史考特告知勿使用其在羅斯島上的史考特探索木屋（1902），理由是他另有探險計劃。他亦想自羅斯冰棚切入以縮短陸上橫越的距離，但他卻驚訝地發現6年前在鯨魚灣與史考特等施放氣球作空中觀測的地點已因冰棚裂解而不見蹤影，這意味在其上建造基地是不安全的。而浮冰阻隔又無法東行，他只好轉往羅斯島。2月初，雪可頓等最後在史考特探索木屋以北30公里處之羅伊斯（Royds）岬建造了今日仍在的「雪可頓1908木屋（

雪可頓（Lytteltion Museum, NZ）

Shackleton Hut）」，其約長8.5公尺、寬7公尺，供15人居住並裝設有7盞碳化乙炔燈。

3月10日，來自澳洲的大衛（Edgeworth David）教授曾率領一個6人小隊歷經五天首度攀登了附近的愛樂伯斯火山。各項科學觀察研究工作也相繼展開，他們還著手編印了100本厚達120頁的書叫做「南極光（Aurora Australis）」——這是**人類首度在南極出版的圖書**。冬天過後，他們測試了隨行之英國的強斯頓牌（Arrol Johnston）汽車——**南極大陸的第一部機動車**，結果卻發現它不管用。

9月底，大衛教授率領澳洲的墨生（Douglas Mawson）及英國的馬偕（Alistair Mackay）之北行小隊在完全使用人力徒步拖行雪橇承載超過300公斤的裝備下，曾來回跋涉了約1800公里、花費133天，而在次（1909）年1月16日於今日喬治五世領地（George V Land）上75° 25' S, 155° 16' E的位置首度實地找到了「南磁點」，離當年羅斯船

長設定之處相距約370公里。

10月29日，雪可頓領著馬歇爾（Eric Marshall）、懷爾德（Frank Wild）（*17）及亞當斯（Jameson Adams）的南極點探險隊出發。在11月26日，他們已抵達當年史考特所及的最南緯度——

雪可頓木屋（C.Rudge/Antarcitica New Zealand）

遺留之糧粖與第1部車僅存之車輪（作者）

西伯利亞馬（Lyttelton Museum,NZ）

82°16.5'S。在橫越南極橫貫山脈時，他們以其資助者命名了一個皮爾德摩冰河，並在該內陸山區發現了煤炭及化石——**人類首度在南極大陸上發現礦物及化石**。然後，他們抵達了海拔3100公尺的南極高原。隨行的4匹西伯利亞小馬顯然不如雪橇狗能作長距離拖曳重物的高負荷工作，由於食物不足，他們只好沿途殺馬充飢，但卻因而增加每人拖行裝備的負荷。1909年1月9日，他們徒步推進到162°E，88°23'S，比當年的史考特多走了約580公里且距南極點才約只有180公里，飢餓、疲憊與惡劣的天候逼使雪可頓作他這一生最痛苦的決定——回頭。3月4日，他們結束前後127天約2700多公里的徒步旅程而安返基地。

該南北二個探險隊均歷經了本章前述之各種陸上探險的艱難加上食物不足及極度疲憊等，而仍完成了**當時最長距離的南極陸上探險旅程**。

1909年6月，他們返抵英國，雪可頓受冊封為公爵。雖然成為「第一個抵達南極點的人」之願望沒有實現，但這趟長程陸上探險的空前成就卻鼓舞人們更

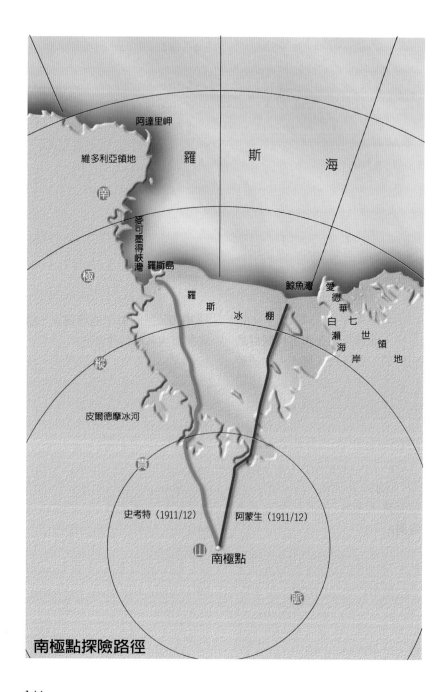

阿達里岬

維多利亞領地　　　羅　　斯　　海

南

麥可黑得峽灣

極　　羅斯島

羅　　　　　　　　　　　鯨魚灣　愛
　斯　　　　　　　　　　　　　　　德
　　　冰　棚　　　　　　　　　　　華　世
　　　　　　　　　　　　　白　七　領
縱　　　　　　　　　　　　　瀨　世　地
　　　　　　　　　　　　　海　領
　　　　　　　　　　　　　岸　地

皮爾德摩冰河

貴

史考特（1911/12）　　阿蒙生（1911/12）

山

南極點

脈

南極點探險路徑

南極大陸的發現與早期之探險活動

積極地投入以達成該項目標。

(28)《1908 / 10 法國 夏爾科②》

1908年8月15日，在其政府的任命與資助下，夏爾科又率領了法國南極探險隊南下。使用800噸、全新及配備有鐵皮、加強結構、強力引擎、實驗室、圖書館甚至電力照明並有特別船名的「為什麼不？(Pourquoi Pas？)號」，人員有8位科學家及22名水手。

探險隊在夏爾科隨行之新任妻子於南美智利返國後南下，12月中，他驚訝地在南雪特蘭群島中的夢幻島發現了挪威人的捕鯨站，並曾替一位病人切除一壞死的手臂。夏爾科等繼續在上回南極半島尖端西側海岸附近做地理調查與發現，但為什麼不？號卻又觸礁了。經過搶修後深入南極圈，他們在阿德雷 (Adelaide) 島附近製作海圖，另作了些地理發現與命名。

時續漸入秋，他們的船卻被冰封，夏爾科於是下令登陸附近的彼德曼島並搭建基地。它包含4個木屋每個均有電力照明以作開會、研讀和各種專題討論，另裝設儀器以進行各項科學研究。

冬天同樣在精心的安排之下度過，次年11月底，當他們到夢幻島補給燃煤時，得知英國雪可頓曾在該 1909 年1月推近南極點的消息。再回頭沿南極半島西側南下途中，夏爾科將一新發現之地岬以其父之名命為「夏爾科海岸」(*18)。後因浮冰阻隔及受損之船隻的安全考量，他們乃班師回國。

此行夏爾科曾**首度使用機動摩托船與機動雪橇**（ Snowmobile ），而完成了南極半島西岸附近達2000公里的海岸地理調查、精密製圖與各種科學研究。

(29)《1910 / 12 挪威 阿蒙生》

挪威人阿蒙生 (Ronald E. G. Amundsen, 1872－1928) 曾參與1897～99年葛拉治的比利時探險活動，而有了南極過多的經驗 (見第131頁)。之後1903／06年間的北極探險活動，更讓他從艾斯基摩人學習了許多寶貴的極地活動知識。他原想將得自其政府的一部份資助加上自己房子抵押借款以完成他最大的願望──成為「第一個抵達北極點的人」。但美國人皮爾利 (Robert E. Peary) (*19) 捷足先登的消息，使他迅即將目標轉往「南極點」。

145

1910年6月6日，阿蒙生率領為數19人的挪威南極探險隊啓程，使用的船隻是其北極探險家南森（*8）曾使用的前進號（Fram），它配備有柴油引擎以及特別設計具有類似今日破冰船之圓弧形船底。

抵南極點的挪威探險隊
（Antarctica New Zealand）

抵南極點的阿蒙生（Antarctica New Zealand）

　　出發前只有3位隊員知道確實之目的地，在大西洋上阿蒙生才正式宣佈他們將前往南極點，並致電正路經澳洲欲作其第2次南極點探險之英國的史考特（見下一選錄）。

　　次年1月14日，當抵達羅斯海域之鯨魚灣準備登陸時，阿蒙生等人驚遇乘坐新星號東行前往鄰近的愛德華國王7世領地探險之史考特的一個特遣分隊（見第頁）。在登上羅斯冰棚之後，他們花了三週將10噸重的裝備用狗拉雪橇運到內陸約3公里之處以建立了一個基地，這便是早已隨冰棚裂解而入海消失今日不復見的「前進之家（Framheim）」。除了一個簡易的住宿木屋，還有15個16人份的帳棚當儲藏所，另有安置隨行97條葛陵蘭犬之狗屋。在完成往南極點沿途80°S、81°S及82°S等三個食物補給點之設置與留下9個隊員後，前進號即遠退往阿根廷避冬。

　　其南極冬天在忙碌的整理裝備和有規律的作息下順利地度過。

　　9月8日，阿蒙生等8人小隊向南極點出發，但因仍爲春天時節、極端的低溫（-56°C）和惡

劣的天候使他們在一週後折返。
10月19日，阿蒙生和4位隊員－
魏斯丁（Oscar Wisting）、漢生（
Helmer Hansen）、白家蘭（Olav
Bjaaland）、哈索（Sverre Hassel）
使用每部由13條葛陵蘭狗所拖行
之4部雪橇，載重約3400公斤的
裝備重新上路。

11月，在歷經多次掉入冰縫
的危險來到了南極縱貫山脈。阿
蒙生以其女王之名命了其所要橫
越的毛德女王（Queen Maud）山
脈，並連隨行約1000公斤的裝備
攀越有一連串覆蓋著薄冰之冰縫
區的海柏格（Axel Heiberg）冰河
而登上南極高原。在南極暴風及
視線不良之下，他們繼續挺進而
在12月14日凌晨3點終於**拔得頭
彩抵達了南極點**。

他們在南極點插上挪威國
旗，並以其國王之名將該地區命
為「哈康7世高原（Haakon VII
Plateau）」另留下2封信在帳棚內
給史考特及哈康國王。3天之
後，他們駕著2部雪橇和剩下的
11條狗踏向回程。1912年1月中
旬，在鯨魚灣等待阿蒙生等人歸
來的前進號曾驚遇日本探險隊（
見第151頁）。

阿蒙生此行有極精密的計劃

與準備，故能成功地達成目標：

1. 以鯨魚灣作切入點比自羅
斯島縮短了約100公里旅程，而
減少在南極高原上受南極狂風侵
襲的機會。

2. 將基地建在冰棚內陸，而
避免了當年英國雪可頓「其臨海
部分會崩裂入海」之慮。

3. 善用學自愛斯基摩人之極
地活動知識及技能，尤其仰賴狗
拖行雪橇並沿途以狗餵狗和熟練
的雪橇操作技巧等。

4. 食物、裝備之重量與實用
性均經詳細的計算與改良，以達
到輕量、實用的目標。

5. 有經驗、耐力及技能等各
方面極為優秀的隊員，阿蒙生本
人更有南北極探險經驗。

6. 食物補給點之設置適當。
(30)《1910/12英國 史考特 ②》

有感於雪可頓差點搶先完成
其南極點之旅的威脅，在得到其
政府的資助之下，史考特在1910
年3月又展開了其第二次的南極
點探險活動。

6月1日，他們以700公噸、
配備蒸氣動力的新星號（Terra
Nova）帆船啟程。但在路經澳洲
之墨爾本，一通來自阿蒙生給他
的電報讓他極端吃驚而倍感競爭

147

壓力之沉重。11月底，在紐西蘭接受了熱情捐助後，新星號自其但尼丁南下。12月1日，在強烈暴風下幾乎沉船，他們被迫丟棄了10噸燃煤與13000公升的飲水。雖在次年1月初安抵羅絲島，但墨克麥得峽灣的浮冰卻阻擋了其推進到前次所建之史考特探索木屋(1902)所在的去路。他們便登上伊凡斯 (Evans) 岬並建成了一個全體25個人可以住宿、長寬為14.6及7.4公尺以海草作絕緣還裝設有12盞乙炔燈、現今南極大陸之最大古基地──「史考特木屋(1911)」，並空前地在該二個木屋之間舖設了**南極第一條電話線路**。

一個南行小隊著手在 -7℃至 - 60℃之低溫與陣風時速可達135公里之下，設置了到接近80°S的三個補給點。另一個東行小隊在航行前往愛德華國王7世領地探險途中，在鯨魚灣驚遇阿蒙生的前進號。經過交談後，他們折

狂濤中的金星號
（H.Ponting/Antarctica New Zealand）

史考特木屋（1911）
與愛樂伯斯火山（作者）

木屋內工作中的史考特
（H.Ponting/Antarctica New Nealand）

南極大陸的發現與早期之探險活動

返基地報告。2月9日，在新星號啟程駛回紐西蘭避冬途中將由康百爾（Victor Campbell）率領的6人北行小隊送往阿達里岬。他們在包契格瑞文克木屋旁搭建了另一個現已不復存、長寬約為6.4公尺×6.1公尺的小屋，後在附近作各種地理及科學探勘，發現並命名了「奧茲領地（Oates Land）」，並平順地度過了一個南極冬天。

羅斯島基地的隊員在極有規律的起居下度過了冬至後，鳥類學家威爾遜（Edward Wilson）的3人小隊在6月27日以人力拖行二個雪橇、載荷340公斤裝備，前往約105公里之外的克羅吉亞（Crozier）岬。他們在偶有月光及南極光之下摸黑地歷經 - 61℃之極低溫加上風凍效應、強風如刀削、掉入冰縫喪命及營帳失而復得等艱危，而在8月1日平安地攜回3個皇帝企鵝蛋以作科學研究，完成了一趟來回36天、最最艱險、死神常伴之**首度的南極隆冬、永夜之陸上旅程**。1位隊員的日記這樣子記載：沒有語言能形容此行的可怕。

10月24日起，包括總數16個人、10匹西伯利亞馬、233條阿拉斯加狗及13部雪橇載運數噸裝備組成的數個沿途補給小隊與主要隊伍陸續南下。其進度極為緩慢且很快地顯現出其馬匹及機動雪橇之不管用，隨行動物及人員的負擔因而加重。至1912年1月4日止，因食物不足，全數的狗和補給小隊已陸續回頭，他與威爾遜、包爾斯（Henry Bowers）、奧茲（Lawrence Oates）及伊凡斯（Edgar Evans）等5個人即以人力拖行雪橇繼續上路。17日，當他們疲累地抵達南極點時，吃驚地發現阿蒙生已早33天抵達。2天後，他們踏上1450公里的回程。沿途在疲憊、找尋補給站、飢餓、寒冷及壞血病下，伊凡斯及奧茲先後衰竭而死。3月29日，史考特與威爾遜、包爾斯等繼之，該南行小隊以全軍覆沒收場。直到11月12日，一個搜索隊方發現史考特等3人的屍體、營帳及約17公斤的地質標本，原來他們隕命的地點離最近的補給站才只有約18公里。

另於1912年1月8日，新星號在返回羅斯島途中將北行小隊轉送到半途的新星灣（Terra Nova Bay）卸下。他們在內陸墨爾本山附近作一番探險後，在2月18

抵南極點的史考特等人（Lyttlelon Museum,NZ）

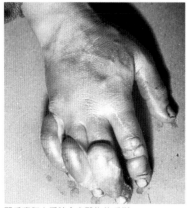

嚴重凍傷之愛特金森醫生的手指
（Antarctica New Zealand）

日回到原地卻等不到約定前來接應的新星號（因時序不早，但史考特等人未回營之事件的耽擱）。在食物將盡、營帳受損及秋天逼近之下，他們只好就地捕獵企鵝、海豹及挖掘冰窖爲食宿以迎接其第二個南極冬天。11月7日，在歷經酷寒、飢餓、疾病及恐懼下，他們經徒步跋涉了40天後才全身腥臭、污黑（因長期食用企鵝、海豹肉及燃燒其油酯點燈與取暖）極爲狼狽地回到距其約480公里的羅絲島基地，惟迎接他們的，卻是史考特等人的噩耗。

此行的探險活動雖以悲劇收場，但卻在南極探險史上留下一段壯烈史蹟。爲了紀念該事蹟，當年的其他隊員曾在史考特發現木屋附近建造了一個紀念十字架（見第231頁），英國政府在1920年亦成立了一個「史考特極地研究所」（見第210頁），而今日在紐西蘭基督城的大教堂廣場不遠之雅芳（Avon）河畔也有一個史考特之妻爲他所立的銅像。

(31)《1910 / 12 日本 白瀨》

在大眾對其募款的冷淡卻幸得小熊（Count Okuma）首相的資助下，日本海軍上尉白瀨（Nobu Shirase, 1861—

史考特銅像（作者）

南極大陸的發現與早期之探險活動

1946）在1910年12月1日於極端冷清的歡送聲中，率領著23人的日本南極探險隊自東京啓程，使用的是一艘30公尺長的開南號（Kainan Maru）捕鯨船。

這個來自素無探險傳統與背景之國家的南極探險隊首先在次年2月7日抵達紐西蘭的威靈頓（Wellington）港，但短短4天的停留中，當地媒體滿懷敵意且極端尖酸刻薄的嘲諷讓他們極爲惱怒。

3月6日，開南號航抵羅絲海域西側的維多利亞領地海岸。由於多季已近，天候不佳以及浮冰阻隔故登陸不成，他們只好折回雪梨。而澳洲人的冷漠甚至敵意並不遑多讓，惟幸運的是，在該市郊法克魯斯（Vaucluse）區一位

日本探險隊（Alexander Turnbull Library,National Library of New Zealand, Te Puna Mataoranga o Aotearoa）

居民的勉強同意下，他們最後得以在其後花園紮營過多。曾參與1907／09年雪可頓之南極探險隊的大衛教授（見第142頁）也給了他們一些協助，但由於經費實在極端拮据，他們在那裡幾近過著乞討的日子。

11月19日，在得到後續的資助下，開南號再度南下。1912年1月16日，他們在鯨魚灣驚遇挪威的前進號正在等待阿蒙生等人自南極點的歸來（見第147頁），惟他們仍未得知阿蒙生與史考特已分別完成了南極點探險之消息。

白瀨的6人小隊花了數天方攀上90公尺高的羅絲冰棚，再以狗拉雪橇向南推進。28日，他們深入了約260公里而抵達80°5'S左右。白瀨乃取名放眼所及之冰棚爲「矢本冰原（Yamoto Yukihara）」。同一個時候，另一個東行小隊則隨航往愛德華7世領地活動。

該年6月20日當他們返抵橫濱時，卻受到截然不同之英雄式的熱烈歡迎。今日愛德華7世領地與羅斯冰棚東側接壤之地區，便被名爲「白瀨海岸（Shirase Coast）」──一個南極大陸上難

得以來自東方世界的探險家為名的地方。

(32)《1911 / 12 德國 菲爾克那》

曾受教於普魯士軍事學院的德國人菲爾克那（Wilhelm Filchner, 1877－1957）為了解「南極大陸兩邊的威斗與羅斯海域間是不是由一條被冰雪覆蓋的海峽連結？」，而決定作一趟人類第一個橫越南極大陸探險——由二個探險隊各用1艘船自前述海域登陸，後向內陸推進再於南極點會合。雖然得到大眾的捐助，但經費仍不足，他只好決定使用1艘船自威斗海域登陸，再由羅斯海域出來。

1911年5月4日，34歲的菲爾克那率領之探險隊終於成行。使用的是一艘特製、有加強船底結構的挪威籍蒸氣帆船——德意志號（Deutschland）。他們在阿根廷之布宜諾絲愛麗絲曾登上挪威的前進號，並與完成南極點探險正凱旋回國的阿蒙生見面。

11月中旬，德意志號已在威斗海遇到浮冰及為數極大的冰山。他們在次年1月底深入到1903年布魯斯所發現之「可茲領地」附近，並發現及取名為「盧特波（Luitpold）海岸」與「威爾翰2世（Kaiser Wilhelm）冰棚」，但其國王將後者改為「菲爾克那冰棚」。

菲爾克那原本準備在該冰棚上過冬的計劃，卻因他們幾近完成之基地所在整個裂解入海而告落空。3月6日，德意志號被冰封進退不得，他們只好在浮冰上紮營，各種科學研究也相繼展開。

在隆冬6～7月間，菲爾克那等3人的狗拉雪橇隊曾冒著－35°C之低溫及充滿冰縫的浮冰上前往約60公里外去尋找一位美國捕海豹者聲稱在1823年所發現的新南格陵蘭島（New South Greenland）以製作其海圖。惟卻毫無所獲，回程中他們需找尋在那前後8天旅程中已隨浮冰漂流到約65公里外的船。

冬天在有電力供應的德意志號上平安地度過。

11月26日，前後漂流將近9個月的德意志號終於脫困，他們取道南喬治亞島返國。

菲爾克那期望再一次努力以實現其橫越南極大陸之探險計劃，因德國上下忙於參與第一次世界大戰的準備，尋求資助不成而告吹。

南極大陸的發現與早期之探險活動

(33)《1911/14澳洲墨生 ①》

地質學家澳洲人墨生（Douglas Mawson, 1882－1958）教授曾參與1907／09年英國雪可頓的南極點探險活動，並與其他2位隊員找到了「南磁點」(見第142頁)。但他卻婉拒了1911／12年史考特之第二次南極點探險活動，原因是他也正在籌劃於同一個時期進行其南極探險活動，目標是阿達里岬以西與澳洲相對之南極大陸海岸。在澳洲政府及其澳洲科學進步協會（AAAS）的資助下，其募款工作比他人輕鬆而使得其探險隊迅速成軍。

1911年12月2日，即前述史考特的探險隊自紐西蘭南下後第3天，墨生所率領的「第一個澳洲南極探險隊」亦自其荷巴港出發，使用的是600公噸並有加強船底結構之捕海豹船──黎明女神號（Aurora）。

水源─狂風中挖雪再加溫（Adelaide University, Australia）

他們首航到其碼奎麗島，在那裡設立了**亞南極地區的第一個無線電通訊轉撥站**，由5個人留守後繼續南下。次年1月初，他們發現並命名了一片今日的「喬治5世國王領地(King George V Land)」以及「聯邦(Commonwealth)海灣」。

該月8日，他們登陸了丹尼森(Denison)岬並建造了一個基地──那便是今日仍在、面積約53平方公尺的「墨生木屋(1912)(Mawson Hut)」。該18人的探險隊很快地發現那裡經常吹颳強風，曾有整個月當中，每小時未停地吹颳平均時速近100公里甚至陣風時速高達320公里的狂風，原來該處正是一個「南極下坡風走廊」（見第64頁）。

另一個8人的西行小隊在懷爾德(*17)的率領下，前往約2410公里外的雪可頓冰棚。他們將36噸裝備拖上30公尺高的海岸，後搭建了另一個長寬約只6公尺的基地。

冬天雖過，但丹尼森岬直到11月初天候才較穩定。墨生等人保握短暫的夏日成立五個狗拉雪橇探險小隊出發：一個西行、一個南行及三個東行，以有系統地

探勘新發現的喬治5世國王領地。惟約好各隊需在次(1913)年1月15日回來趕搭自荷巴前來撤運的黎明女神號。

西行小隊曾遠達250公里之外，並首度發現了隕石。南行小隊前往約540公里外之南磁點，但因食物及時間不足在約80公里前折返。二個東行小隊前往今日之墨茲和尼尼斯冰河附近後分別折返。

而墨生、瑞士的登山、滑雪專家墨茲(Xavier Metz)及英國士兵尼尼斯(Bes Ninnis)等的3人東行小隊在11月17日出發，沿東海岸前進。12月14日下午，當他們越過了前述離基地約500公里之二個冰河時，尼尼斯失足連所有裝備及全隊人與大部分狗食一起掉落到一深不見底之冰縫裡。墨生與墨茲立即回頭，途中被迫宰食狗肉並面對了暴風、飢寒交迫、中毒(*20)，甚至死亡。1913年1月7日，墨茲衰竭而死，墨生卻還有約160公里的路程。他將雪橇切掉一半以減少人力拖行負擔，惟他的健康也開始出現問題，毛髮脫落、腳指甲變黑鬆脫與腳底脫皮，甚至數度掉落較淺的冰縫而幾乎無力掙脫。

幸運的是，他找到搜索隊留下的食物而終於2月8日奮力回到基地。但前來撤運不成、轉往西部基地的黎明女神號已遠去而在水平線上呈現一個黑點，雖經無線電呼叫但因天候變化及浮冰阻隔無法重新靠岸，只好目送其離去。墨生與基地內留下之6位隊員只好又在那裡過了第二個南極冬天，直到該年12月12日黎明女神號將其撤回。

另在西部小隊曾前後作了五度東西向探勘，並製作了附近包括1901／03年德國之得賴斯基所發現之高斯柏格嶺附近的海岸圖。該年2月23日，他們即被撤離。

此行墨生曾攜帶了1駕在出發前試飛中出意外來不及修復之維克式（Vickers）無翼飛機前往以充當曳引機拖拉裝備，惟在現場引擎又頻出問題試用數次後只好作罷，但這卻是**第一架被帶到南極大陸的飛機**。

墨生也使用無線電報而嘗試與黎明女神號及碼奎麗島的轉播站作雙向通訊，只是他們的室外天線很容易便被強風吹毀。儘管設備仍原始致效果不佳，但他們終自外界得知史考特的噩耗以及將尼尼斯及墨茲喪生的消息傳出，這開啟了**人類首度在南極大陸使用無線電通訊的先河**。

(34)《1914／17愛爾蘭 雪可頓 ②》

在南極點已被征服及德國人菲爾克那橫越南極大陸的計劃失敗後，雪可頓將他的目標轉變成當「第一個橫越南極大陸的人」。他的計劃是：由他本人率領一個探險隊自威斗海岸登陸，然後橫過南極點再北行而與另一個來自澳洲、在羅斯島登陸後向南極點推近的探險隊於南極縱貫山脈之皮爾德摩冰河會面。

他的募款活動極為順利，探險隊也快速成軍。但1914年7月28日爆發了第一次世界大戰，英國甚至於8月4日向德國宣戰。雖然雪可頓立即決定將所有人員物質提供參戰，惟被當時的丘吉爾政府婉拒了。8月8日，他所率領的「英國橫越南極大陸探險隊」啟程，取道南美洲航向威斗海域。

然次年1月19日，其堅忍號（Endurance）蒸氣帆船即被浮冰困住，他們被迫在船上隨浮冰漂流過冬。但到11月21日，它甚至被浮冰吞噬而沉沒。雪可頓等28個

人奮力交互使用雪橇及三條約6公尺長的手划救生艇載運搶救到的食物裝備前往約560公里外、最近的寶麗特島，在那裡有1903年瑞典之諾頓史可德的探險隊留下的石板木屋。惟登陸不成，最後歷經波折在4月14日方成功地登陸了約1000公里外，位於南極半島北端無人居住的象（Elephant）島。

他們將救生艇倒放當作屋頂，搭建了一個極簡陋的棲身之處。因冬天已近，食物有限，10日之後，雪可頓即與5位隊員划駛一條救生艇作了16天被喻為「航海史上奇蹟式的航行」，歷經飲水不足、濕、冷、飢餓及疲憊等，平安地橫越了波濤洶湧、常有暴風的南冰洋而抵達1300公里外的南喬治亞島。惟其登陸地點之哈康國王（King Haakon）海灣卻位於該島的西北側無人居住之處，該年5月15日，雪可頓別無選擇地再與其中2人又奮力地翻越冰河及海拔1800公尺之雪嶺，人類首度橫越南喬治亞島，而前往其東側位於史東尼斯（Stromness）港的挪威捕鯨站求援。5月17日，當他們3人突然出現時，其蓬頭垢面、衣著襤褸及

全身發臭的樣子鎮攝了當地所有的人。次日，留在哈康國王海灣的3個人很快地被救回，但拯救象島上由懷爾德（*17）所帶領等22個人卻是一波三折，雪可頓甚至還趕往福克蘭群島求援，前後歷經挪威、智利、烏拉圭等國之3艘船隻協助，卻陸續發生中途故障及浮冰阻隔等而折返。到了8月30日，在智利之船隻的支援下才將在那裡已苦撐了一個極艱困之多天的他們全數救出。

另一方面，比雪可頓慢一個月自英國出發取道澳洲雪梨的10人探險隊於1915年1月7日自羅斯島登陸後也進行得不順利。該年5月，一陣暴風將其黎明女神號颳離了其靠岸之處，後又被浮冰困住並向北漂流了漫長的十個月，直到次年的3月14日始脫困。他們在島上之史考特木屋（1911）度過了一個物資缺乏之艱困的冬天，但仍完成沿途設置到皮爾德摩冰河的食物補給站。惟食物不足、壞血病及惡劣的天候使他們失去1位牧師隊員，另有二位則因暴風雪出意外而亡。黎名女神號在紐西蘭整修後，雪可頓加入了隊伍趕抵羅斯島，而在1917年1月10日救出在那裡度過

了2個多天的隊員。

雪可頓的橫越南極大陸探險計劃只好宣告結束，而第一次世界大戰仍激烈地進行，直到次年11月11日方宣告結束。

(35)《1921 / 22愛爾蘭 雪可頓③》

在老同學羅威特（John Rowett）的資助下，雪可頓又在1921年9月率領著其主導的第3次南極探險啓程，取道巴西南下。這次使用挪威籍老又慢的捕海豹船探尋(Quest)號，隨行人員中有一位老戰友——懷爾德(*17)。

惜次年1月5日，47歲正值英

雪可頓之墓（張子芸）

年的雪可頓卻在抵達南喬治亞島時病逝，懷爾德繼續領著探險隊在威斗海域活動。3月5日，依其妻的指示雪可頓被葬於該島的葛萊維根——一處離他此生所鍾愛、奮鬥及最有成就之南極雪白世界不遠的地方。

雪可頓之最後一次南極探險計劃又功敗垂成，至此他共前後參與了四度探險（包括參與1901／04年史考特的第一次）仍未能踏上南極點，但他奮力不懈的精神卻在早期之南極探險史上傳為美談。

私人企業從事發現南極大陸的探險

《英國恩得比兄弟公司(Enderby Bros Co.)》

恩得比公司原本從事海上貿易，其船隻曾在1773年將茶葉輸入波士頓港而引爆了美國獨立戰爭，後轉往南冰洋作捕鯨、海豹的新行業。創辦人老恩得比及其三個兒子除作生意以外，基於愛國心及科學興趣常不計盈虧鼓勵其所屬之船長在商業航行中尋找新陸地，甚至專程派遣船隻到可能發現新陸地的海域作探險活動。其旗下有4位知名的船長在

南極探險史上各有成就：布理思託（Abraham Bristow）在1806年8月發現了紐西蘭的亞南極島嶼—奧克蘭群島，後在其上建立了捕鯨站（見第111頁），其中即有一個恩得比島；鼻斯可曾在1830／33年間完成環繞南極大陸之海上探險活動（見選錄第13）；巴羅尼（John Balleny）與福立曼（Thomas Freeman）則在1838／39年的探險活動中，發現了巴羅尼島（見第107頁）。

《挪威 克利斯登森（Lars Christensen）》

挪威之捕鯨業大亨克利斯登森旗下有更佳的表現，如：1893／94年其拉森船長**首度在南極半島作滑雪陸上探險及發現化石**（見選錄第18），在1927到1930年間連續4航次至東南極大陸海岸探險中，兼併了彼得島（見第107頁）與布威島（見第123頁）、首度以飛機作科學調查以及與英、澳、紐的聯合探險隊達成以45°E爲界而分別由其探勘並宣佈主權的默契（見第166頁），後來導致該國在1939年1月將該地區命爲「毛德女皇領地」。

附註

（*1）其搜尋活動始於1840年的法國人得弗里與美國的威爾克斯（見探險選錄第14及15）。

（*2）成立於1830年之英國的皇家地

恩得比島（作者）

理學會（Royal Geographical Society），尤曾扮演積極的參與角色，它為一國家與國際地理研究、資訊與探索中心。

（*3）去（1998）年6月在英國有發現葡萄牙人於1847年所出版之紐西蘭的奧克蘭市西北之凱葩啦(KAIPARA)港附近的海圖，這說明了葡萄牙人比荷蘭人更早抵達紐西蘭，全球教科書將因而改寫。

（*4）據說它是法國人剛尼維爾（Paulmyer de Gonneville）在16世紀的一個海上探險所發現之一個熱帶南洋富足的陸地。

（*5) 更早發現並登陸南極半島的應是在附近雪特蘭群島活動的商業捕豹探險隊，惟無正式紀錄。而最早有紀錄之登陸者為1821年2月7日之美國的戴維斯（John Davis）以及同年但不知月日之英國的碼克法蘭(John McFaralne) 船長之捕豹隊。

（*6）自當時起直到1964年，美國的地圖一直將整個南極半島稱為帕碼領地，現在它只指該半島之南半部。

（*7）它係該群島上之一種特有新鮮可食之野生青菜，為早期探險者補充丙種維生素的良好來源。

（*8）南森（1861—1930）係有名的挪威北極探險家--在1882, 1888及1893 / 96年間多次曾空前地抵達86°14'N。後來曾當上該國總理並為1922及1938年諾貝爾和平獎得主。

（*9）它們是第二批使用於南極地區的蒸氣船；而第一艘為1873 / 74年德國之杜曼（E. Dallmann）船長所使用的葛龍蘭號（Gronland），他發現了位於南極半島北端西岸、今日南極航遊必到的紐美亞海峽(Neumayer Channel)。

（*10）福恩（1809—）在1864年發明了「捕鯨叉炮（Harpoon Gun）」，其魚叉之前頭內藏有火藥會在被擊中之獵物體內引爆，是捕鰭鯨、藍鯨及西宜鯨的利器。

（*11）包括布爾、包契格瑞文克和紐西蘭的少年水手同哲曼（Alexader Tunzelman），均宣稱其為第1個登陸者，後二人宣稱是其先跳下船穩住小艇後布爾才下船。

（*12）庫克（1865—1940）醫生曾在1891 / 92及1893 / 95年間與皮爾利(Robert Edwin Peary)共作三次北極探險。他宣稱在1908年4月21日曾抵達北極點，比後者的1909年4月7日約早一年，惟其證據不被認定。

（*13）它係以隊員磁力學家丹可(Emile Danco)為名，他於1898年6月5日病死於百吉卡號被冰封期間，是第一個在南極過冬期間喪生的人。

（*14）得賴佳斯基教授認為極地作業應精簡員額講求效率，以利人員健康與管理之維持。

（*15）他於1862年首創神經科臨床治療，為「世界神經科臨床治療學之父」。

（*16）他的妻子是法國大文豪雨果的孫女，她反對其作海上探險活動。

（*17）懷爾德曾參予四次的早期南極探險一1907 / 09雪可頓 (一)、1911 / 14年澳洲墨生、1914 / 17雪可頓 (二) 及1921 / 22年雪可頓 (三) 等。

（*18）它後來被證實為一島嶼而改名為夏爾科島。

（*19）皮爾利（1856—1920）自1884年起開始作北極探險，並曾參與1897 / 99年葛拉治的南極探險。而在1909年4月6日成為「第一個抵達北極點的人」。雖曾受勳於英國皇家地理學會，但其佐證仍被質疑。

（*20）哈斯基狗之肝臟含有豐富的甲種維生素，食用過量會造成中毒。

退役的海功號（作者）

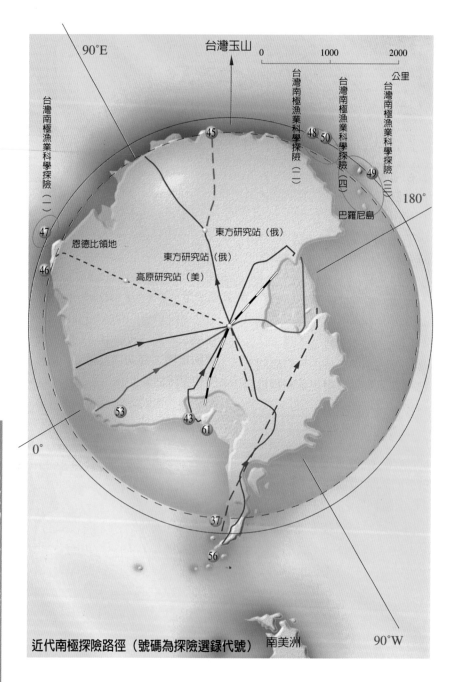

近代南極探險路徑（號碼為探險選錄代號）

台灣玉山

90°E

0 1000 2000 公里

180°

0°

90°W

南美洲

台灣南極漁業科學探險（一）

台灣南極漁業科學探險（二）

台灣南極漁業科學探險（三）

台灣南極漁業科學探險（四）

台灣南極漁業科學探險（五）

巴羅尼島

東方研究站（俄）

東方研究站（俄）

高原研究站（美）

恩德比領地

45

48 50

49

47

46

53

43

61

37

56

近代的南極探險活動

162

近代科技的應用及各國紛紛制度性地設立了南極事務專屬機構後，大大地改變了人類在南極的活動型態。

近代人類南極探險活動之特色

花去阿蒙生等人三個月來回甚至吞噬掉史考特等5條性命的南極點陸上探險，使用航空器的博德（見選錄第37）在不到16個小時內完成（當然意義不同）。進步科技的應用、各國紛紛制度性地設立了南極事務專屬機構以及尤其自「1957／58國際地球物理年」活動（見第208頁）南極科學研究基地普遍被建立之後，人類的南極活動變成由政府機制來主導並且從地理發現逐漸轉爲科學研究探險。

近代人類之南極活動選錄

本選錄中第36、37及39（續上一章計數）仍屬「英雄主義」模式，其他有英、美、澳、紐及日本之國家探險活動與我們自己的四個漁業科學探險，而有許多活動無法一一列出如俄國即有不少極地高原之陸上探險。最後收錄一則有代表性的民間組織之探險活動。

(36)《1928／29及1929／30年

澳洲維爾京斯》

澳洲攝影家及飛行員維爾京斯（George H. Wilkins, 1888－1958）曾參與1913／17年加拿大之北極探險及2次南極探險活動——1920／22年之英帝國南極探險隊和1921／22年英國雪可頓之第3次探險隊。1928年初，在以單翼飛機完成3380公里之「飛越北冰洋」(*1)後，他順利地得到包括美國地理學會(AmericanGeographical Society)、澳洲的商界及美國媒體之資助以推動其「南極空中探險活動」。

同年9月28日，維爾京斯搭乘捕鯨船前往南極半島北端南雪特蘭群島中之夢幻島的捕鯨站。隨行有其原北極飛行員愛爾森（Carl Ben Eilson）、另1位飛行員、機械師及無線電操作員及美製最新的洛克希德（Lockheed）之織女星式（Vega）單翼飛機二架，其中一架是原作北極飛行的洛杉磯號（Los Angeles）。

11月16日，他們順利升空作了20分鐘之嚐試飛行，這是**人類在南極地區的第一次動力航空器**

飛行。12月20日，他們曾沿南極半島東岸飛抵 71°20'S，約到其中央附近。後折返。這是一趟來回11個小時、航程約2100公里之**人類首度飛越南極圈以及首度之南極長距離飛行**。他們並首度作了南極大陸之空中照相，這亦是**人類第一次自空中去發現及探勘新的土地**。次年1月10日，維爾京斯等又作了一趟約800公里的航程後結束了該季的飛行返回美國。

該年9月，他重返南極並轉移陣地到其他島嶼。雖仍未能找到理想的起降地點，但仍奮力地作了許多較短程的飛行。他曾南達73°S作空中勘查、發現甚至製作空照圖，以及使用無線電報作通訊聯絡。

經過二個季節的努力，維爾京斯證明了在南極地區廣泛地使用飛機的可行性而開創了「南極空中探險」的新紀元。

(37)《1928／30及1933／35年美國博德》

1925年，海軍飛行員博德（Richard E. Byrd, 1888—1957）曾參與了美國在北極葛陵蘭之空中探險活動。1926年5月9日，他聲

稱完成了受質疑的「橫越北極點之飛行」。當維爾京斯在籌劃他的南極空中探險活動時，他也在積極地籌備「第一個飛抵南極點」之計劃。

包括其國家地理學會（National Geographic Society）和紐約時報均積極地資助，使其進行了**空前經費最充裕的私人南極探險活動**。另外，挪威的阿蒙生給了他寶貴的建議：務必隨行有好的飛機、足夠的狗以及適當的人員。

1928年8月，紐約市號（The City of New York）自紐約港出發，船上有博德領軍之飛行員、

博德（作者）

機械師、攝影師、科學家及媒體人員等50多人。隨行有較大的福特（Ford）三引擎式之班尼特號（Floyd Bennett）及霍克（Fokker）及費爾蔡得（Fairchild）單引擎小飛機，還有95條狗及雪橇。

在取道紐西蘭的但尼丁南下鯨魚灣登陸後，他們在羅斯冰棚內陸14公里處建立了一個基地名之為「小美國（Little America）」。次年1月15日，博德作了第1趟飛行，發現並命名了今日的「洛克斐洛高原（Rockfeller Plateau）」，地質學家等即被送往現場作實地探勘。惟時速160公里的強風竟將他們停飛並繫住之霍克機颳走而撞毀。後來，他們陸續作了約38萬8300平方公里地區的空中照相製圖，另又發現了今日的「博德領地（Marie Byrd Land）」。

11月初起，一個3人的狗拉雪橇小隊在1000公里外、充滿冰縫的毛德女王山脈發現了煤、砂岩及1912年初阿蒙生等自南極點回程留下的東西，而博德也完成了在海柏格冰河附近設置了中途油料補給站。

11月28日，博德親任領航員而與極具飛行經驗之主飛行員巴爾陳（Bernt Balchen）、無線電聯絡員瓊恩（Harold June）及攝影師碼克金來（Ashley McKinley）使用福特式機飛向南方。在丟棄了約110公斤的食物以減輕重量後，巴爾陳奮力突破低溫、空氣稀薄不易拉抬高度的困難，以只有數公尺的高度差距驚險地飛越了南極橫貫山脈。繼續在良好的天候及領航之下，於次日凌晨1時14分，他們終於飛抵南極點。在11分鐘後（沒有著陸），他們回航，經中途加油於10時10分安返小美國基地而完成了前後15小時51分**人類首度的南極點來回飛行**。

1930年6月19日，博德回到紐約受到萬人空巷的歡迎，並接受當時第31屆總統胡佛（Herbert C. Hoover）頒授之金質獎章。

博德後來領導了四次美國南極探險活動，並前後作了三次橫越南極點飛行而為**有最多地理發現的南極探險家**。

在其1933／35年之第二次探險中，他曾使用履帶式卡車作長距離的越野探險而為**人類首度在南極大陸使用機動車輛作長程活**

動。博德並曾獨自一人蟄居在羅絲冰棚內陸約160公里只有斗室大的一個小氣象觀測站內度過1933年的冬天，最低氣溫曾降至-71°C；惟他曾差點被爐火及發電機排出的一氧化碳悶死。

(38)《1929 / 31年英國、澳洲及紐西蘭聯合探險》

1929年10月19日，澳洲人墨生再度率領英國、澳洲及紐西蘭之聯合探險隊自南非出發，目標是東南極大陸海岸。

次年1月，經空中偵測他們發現並命名了馬克羅伯森領地（Mac Robertson Land）。後與捕鯨業大亨克利斯登森（見第158頁）旗下由理塞拉森（Hjalmar Riiser-Larsen）船長率領的挪威探險隊達成以45°E為界東到160°E及西到20°W分別由其探勘並宣佈主權的默契。

1931年1月，墨生等曾重返聯邦海灣的丹尼森岬，他們發現南磁極點已移位了相當的距離。

(39)《1933 / 34、1934 / 35、1935 / 36及1938年美國人愛爾斯渥斯》

來自美國賓州礦業世家之愛爾斯渥斯（Lincoln Ellsworth, 1880－1951）工程師曾資助並參與1926年5月挪威人阿蒙生及義大利人諾拜爾（Umberto Nobile）之「人類首次飛船橫越北極點」活動 (＊2)。1930年，在得知拜爾德完成了南極點飛行後，他即著手策劃「飛越羅絲及威德海域間之南極大陸」的夢想。

他聘請了維爾京斯為其計劃經理以及前拜爾德的飛行員巴爾陳為其主駕駛，另購買並改裝了1艘挪威漁船及1架諾斯諾普（Northrop）之有低置機翼、停機時較不怕強風吹颳及最高時速370公里的加碼式（Gamma）單翼飛機──極星號（Polar Star）。

1934年1月，在經取道紐西蘭之但尼丁後南抵鯨魚灣。惟經一次試飛後，次日卻發現停在浮冰上過夜的飛機因浮冰破裂下陷而受損，只好整裝回國。

該年底，愛爾斯渥斯等人轉往南極半島附近的夢幻島。但在經緊急空運零件到到現場修復了飛機引擎故障後，又因對善變天候之適飛性與巴爾陳發生爭執而停擺。

1935年11月，愛爾斯渥斯與新飛行員──加拿大之好立克肯

恩（Herbert Hollick-Kenyon）等人，來到南極半島尖端的但迪（Dundee）島。該月22日，他們成功地起飛，隨機裝載了1270公斤之燃油，目的地即為航程3700公里外之羅絲冰棚的鯨魚灣。雖在起飛不久其無線電即發生故障而被推測可能出了意外，但其飛行活動卻在與外界完全隔絕之下繼續進行。惡劣的天候使他們前後共降落4次，並曾營露長達8天。在最後的一段飛行途中，於距終點只有約26公里時竟然耗盡油料。12月15日，在他們步行了8天後方抵達當年博德所使用的小美國基地。原本預期連中途加油應可在14小時左右完成的飛行，卻花了22天。

當澳洲的救難隊抵達時，愛爾斯渥斯等人已在基地呆了一個月；而維爾京斯隨後數日也自但迪島搭船趕到。成為**第一個長程飛越南極大陸的人**之夢想終於實現，愛爾斯渥斯一行回國後亦受到英雄式的歡迎。

1938／39年之夏日，他又曾與維爾京斯遠到東南極大陸的恩得比及伊麗莎白公主領地附近活動。

今日大陸南極與南極半島接壤處即被取名為「愛爾斯渥斯領地（Ellsworth Land）」，而附近也有一個「好立克肯恩高原（Hollick-Kenyon Plateau）」。愛爾斯渥斯為**唯一獨資的私人南極探險家**，並為繼夏爾科（見選錄第26／28）之後**富人親身參與南極探險活動**的先例。

(40)《1938／39年德國國家探險活動》

在捕鯨業者的催促、對南極大陸進一步了解之渴望和主權的擴張意圖下，納粹德國於1938年初醞釀了一個南極探險計劃，目標在探勘挪威所宣稱擁有主權的毛德女王領地。12月17日，在其德國航空公司配合提供海空裝備的支援下，有北極經驗的里茲哲（Alfred Ritscher）船長率領了一艘8488公噸的巨型飛行支援母艦(*3)史瓦班蘭號（Schwabenland）載運2架配備空中攝影裝備的水上飛機以及人員組成了第一個現代化的國家南極探險隊南下。

次年1月，在不理會挪威的抗議之下(*4)，他們深入毛德女王領地內陸作全面有系統的空中攝影並向地面首度發射宣示主權

167

的標樁，以及包括標本搜集、攝影、地理探勘及插釘主權標樁等陸上活動。

此行在4月10日於返國受到熱烈的歡迎後結束，惟因第2次世界大戰爆發而無後續的活動。

(41)《1939 / 41年美國國家探險活動》

1939年，美國國會通過設立了其南極事務機構——「美國南極事務（US Antarctic Service）」，已晉昇少將的博德被認命為一個現代的美國國家南極探險計劃之總指揮。

該年11月，在其陸海軍出動包括輕型坦克、飛機及艦艇的軍事裝備。

這是**首度在南極地區出現近代軍事裝備**，並配合非軍職人員之下，這個總數59人的探險隊分別在南極半島西岸的恩佛思（Anvers）島上之帕碼（Palmer）半島和鯨魚灣附近的羅絲冰棚上建立了一個基地。

在到1941年3月活動結束之前，他們分頭在附近進行陸上及空中探勘活動，尤其首度在南極大陸拍攝彩色像片，各種科學研究包括氣象及地質等亦紛紛展開，並極為豐收。其在恩佛思島設立臨時基地之舉成為後來在其上設立永久性「帕碼研究站」之淵緣。

(42)《1946 / 47年美國跳高行動》

1946年，挾著第2次世界大戰勝利的餘威，面對東西冷戰的世界新秩序及許多新科技的開發應用，強大的美國現代海軍籌劃了一個任務名稱為「跳高行動（Operation High-Jump）」之空前大型以南極大陸為場地的海空聯合軍事演習，而其內容則為「美國海軍南極開發計劃（US Navy Antarctic Development Project）」之巨大的南極海陸空探險活動。博德少將再度擔任總指揮統領包括13艘各式艦艇、33架飛機、10部大型履帶車及4700位人員，使得**南極地區首度出現了直升飛機、破冰船、潛水艇、航空母艦及雷達等現代化裝備**。

次年1月14日，在抵達羅絲海域的鯨魚灣後分成三隊——東向特遣隊負責該處到南極半島、西向特遣隊負責該處到經度約0°，而中部特遣隊則在羅絲冰棚建立基地後，負責附近地區至

近代的南極探險活動

南極點之間。

　　該項作業製作了大量空照圖，涵蓋南極大陸約達70%的海岸線（其中有1/4為人類首度探訪）以及約385萬平方公里的海岸及內陸面積。包括磁力、地質及生物等許多科學研究也相繼展開。他們並在今日俄國之和平基地附近發現了一個無冰地區──邦格嶺（見第36頁）。

　　該特遣隊在2月底取道紐西蘭撤離。

(43)《1955／58年英國協橫越南極探險》

　　為響應「1957／58國際地球

左起希洛里、福克斯與杜飛克在南極點（Canterbury Museum,NZ）

橫越南極的雪貓（Canterbury Museum,NZ）

退役的曳引機（Canterbury Museum,NZ）

物理年」活動，英國地質學家福克斯（Vivian Fuchs, 1908—）在1953年初發起了一個「英國協橫越南極大陸探險計劃」：由一個探險隊自威斗海的菲爾克那冰棚切入使用機動車輛推進到南極點後，再向北到羅斯島，而另一個探險隊則負責事先作羅斯島往南極高原間的路徑勘查及陸上補給點之安置。它得到包括英國、澳洲、紐西蘭與南非政府、英國王室及其他各界的廣泛資助，紐國甚至配合在羅斯島建立其科學研究基地。

1955年11月，福克斯領軍之探險隊出發。在菲爾克那冰棚上建造基地後，於陸空支援下完成路徑勘查和補給點的設置，並在那裡度過了二個冬天。

1957年1月3日，由紐西蘭的名登山家希洛里（Edmund Hillary）(* 5) 率領的隊伍包括建造其研究基地的相關人員物資抵達了羅斯島。在完成了該基地的建造後，他們在那裡度過了一個冬天。

該年10月4日，福克斯等使用4部配備有暖氣之駕駛室的巨型雪貓式（Sno-cat）履帶雪車向

南極點推進；而希洛里也在10天後率領3部附加有橡皮履帶的農用曳引機南下。前者之路線係人類首度，因遇許多冰縫而延誤行程；後者卻在完成了原預定至南極高原的探勘後，自作主張地繼續南下 (*6)，並在次年1月4日領先抵達了美國的阿蒙生‧史考特基地（見第231頁）而成為自1912年史考特以來第一個自陸路抵達南極點的人，並為**首度以開敞式動力車輛抵達南極點的人**。1月19日，福克斯等終於抵達而成為**人類首度以有駕駛室的動力車輛開抵南極點的人**。5天後，他繼續上路而在3月1日抵達羅斯島。

福克斯終於完成了里程約3472公里、為時99天之**人類第一次橫越南極大陸**的壯舉。

(44)《1955 / 56、1956 / 57年 美國 冷凍行動》

為配合「1957 / 58國際地球物理年」活動，美國策劃了其第1次的「冷凍行動（Operation Deep-freeze）」。該計劃內容是在南極大陸五個不同地點各建立一個科學研究基地——位於南極點的「阿蒙生‧史考特研究站」、位於羅斯島的「麥可墨得研究

近代的南極探險活動

站」、位於博德領地的「博德研究站」、位於威爾克斯領地之「威爾克斯研究站」以及位於菲爾克那冰棚的「愛爾斯渥斯研究站」，負責人是已昇任將軍的博德。

有關南極點基地之建造：

1955／56年夏日，經動用了7艘船隻及1800位工作人員在1956年初完成了羅斯島之墨可麥德研究站及可供大型飛機起降以轉運物資裝備到南極點之跑道。

在1956／57年夏日更大舉動用了12艘船隻及3400位工作人員，先於10月31日完成了位於皮爾德摩冰河附近的中繼補給站，而於當天20時34分由杜飛克（George Dufek）將軍率領之繼1912年1月史考特之後的第一批人員搭乘L－47運輸機飛抵了南極點，其他人員及超過760公噸的物資也陸續經84航次的空運而抵達現場。

1957年3月1日，該**空前在地球最南端之研究基地被建造完成**，接著即有第一批之18位人員在那裡過冬。

(45)《1962／63年 澳洲 橫越南極高原探險》

這是一個**橫越世界最冷的地區之陸上探險活動**。

1962年9月17日，在澳洲之威爾克斯研究站 (*7) 之站長紐西蘭人湯遜(Robert Thomson) 的率領下一行共6人駕駛4部履帶車出發，目標是來回位於南極高原深處有最低溫紀錄之蘇聯的東方研究站。9月是那裡最冷的月份，平溫度為 - 71.6° C。

在歷經陣風時速超過180公里的南極狂風加上風凍效應、南極大風雪、白化現象、徒手在低溫下修理機械故障 (*8) 和每天出發前曾花費長達7小時以清除車輛上覆蓋的積雪、引擎預熱、發動再熱車後始能上路等等艱難，花了一個月才推進了約490公里。在10月底，他們遭遇此行最低的氣溫 - 56.6° C；另在高2.13公尺的臥車內上下曾有溫差51.5° C的紀錄——上面21.1° C地板 - 34.4° C。

他們一行人終於在11月17日抵達了海拔約3500公尺之東方研究站，惟其在多天前全數撤退的人員仍未返回。他們在那遙遠、寒冷的「孤城」停留了一週後，在11月25日踏上回程。

次日當他們抵達約137公里處曾停留作一深達約73公尺的冰帽鑽探，並作相關研究與資料搜集。

次年1月14日，他們完成了這趟為時120天、全程約2900公里的南極高原來回之旅。

(46)《1968／69年 日本 橫越南極高原探險》

這是日本在1965年重開其昭和研究站後第一個大型的地理及科學探險活動。

在經過2季的準備後，該站長村山（M. Murayama）率領了特別建造的履帶車4部、拖行之45公噸裝備以及隨行包括該機動車輛之設計師等11位人員於1968年9月28日沿43°E子午線南下。

由於時值初春天候仍差（南極點的氣溫報告仍在 -70°C以下），加上爬坡故進度緩慢。在推進到海拔3000公尺以上時，他們已覺呼吸困難，車輛也排放黑煙而馬力不足。三部4噸重的雪橇與守車相繼在冰浪的堅硬起伏表面之顛坡下故障及一部車輛的鍋輪增壓器損壞而被分別棄置。在路經當時即將關閉之美國的高原（Plateau）研究站補給後繼續上路，終於11月12日抵達南極點。

他們在阿蒙生・史考特基地受到盛大的歡迎，其製作的日式鐵板燒與美國的聖誕大餐讓賓主盡歡。在交換禮物與聖誕同樂等的國際交誼與補給（包括有自日本空運來的機械零件）之後，他們在12月25日踏上歸程。

次年1月15日，他們順利回到昭和基地而完成了141天、5182公里的橫越南極高原往返的探險活動。

他們在途中的科學研究包括：每4公里作海拔測量、每8公里作重力及大自然超低頻波測量、每24公里作地磁觀測、每天中午作天文觀測、每50公里作鑽冰取樣、每100公里作冰帽厚度測量，還有包括醫學研究、氣象觀測及車輛之性能從燃油消耗到故障分析均作極詳細的紀錄而作成一本279頁之研究報告。

(47)《1976／77年 (一) 台灣 南極漁業科學研究探險》

1976年12月2日，在台灣水產試驗所所長鄧火土博士所主持的「南極蝦漁業技術及漁場資源開發計劃」下，含船長陳長江等共24位船員與戚桐欣、王敏昌、

陳聰松、陳忠信、漁業局的張明添、海洋大學的鄭達雄等漁業科學研究人員及中國時報紀者蔡篤勝駕駛長56.6公尺、711.5公噸、才下水1年多之國造的漁業研究船海功號自基隆出發，**開啟了第一個「台灣南極漁業科學研究探險活動」。**

12月28日，他們在南非與搭機而至的領隊李燦然、陳茂松、曾文陽、農業發展委員會的盧向志、中央通訊社之胡家駒與聯合報紀者呂一鳴等會合。由於當年正值一向聲稱代表全中國的中華民國被逐出最大的國際社會——聯合國，一位隨行的媒體人員期望到南極大陸上插國旗之活動被南非當局認定為不可能，除了因海功號為「非極地級（Non Polar Class）」船隻不具破冰能力而跟本無法靠岸之外，船上缺乏極地航行之相關設備，其他如氣象資料取得之安排與極地航行經驗亦闕如。但經緊急加裝設備及整補後，該船於次年1月5日自開普敦港南下。在由南非船隻護航數天後，他們乃獨自在極端洶險的南冰洋「著實冒險地」(*9) 奮力作業了44天——於首度捕獲南極蝦後，在1月14日繼續推進到東南極大陸之恩德比領地近海，進行包括南極蝦捕撈及其生態、捕撈

南冰洋漁業科學研究（王敏昌／台灣水產試驗所）

技術及處理、海洋及氣象資料蒐集和漁場開發等相關研究及宣揚國威的活動。2月7日，在抵達接近南極圈之65°47'8'S, 58°2'E的最南位置後經開普敦回航。

此行於完成全程89天、超過2萬浬航程並捕獲136公噸的南極蝦之後，在3月26日安返基隆港。他們成為**我國第一個進入南極地區的海上探險隊，而海功號則為我國第一艘進入南極地區海域的船隻。**

(48)《1977 / 78年(二)台灣南極漁業科學研究探險》

1977年12月17日，在魏樹蕃率領包括兼任船長的戚桐欣及范國銓、王敏昌、黃士宗、陳世欽、吳全橙和王文亮等8人組成的漁業科學研究隊隨海功號取道紐西蘭前往南冰洋。

他們除了抵達東南極大陸之喬治五世領地外海、在天候惡劣漂流了6天之下仍進行南極蝦漁撈相關研究作業並過年之外，還曾在紐西蘭東南之作漁場開發調查。

次年4月5日，他們安返基隆而結束了該全程為時120天的「第二次台灣南極漁業科學研究

探險活動」。

(49)《1981 / 82年(三)台灣南極漁業科學研究探險》

1981年11月19日，在由蘇偉成、秦紹生、吳全橙、劉振鄉、鄭溪潭、王敏昌及台灣大學漁業生物研究所的童逸修與胡露金等8位漁業科學專家和以黃國船長為首的航海人員組成的「第三次台灣南極漁業科學研究探險隊」再度駕海功號取道紐西蘭南下。

他們先在紐西蘭東方海域作魷魚漁場調查，然後橫越凶險的南冰洋而深入到喬治五世領地外海之巴羅尼群島附近進行南極蝦漁撈及相關科學研究。這是**我國首度深入到南極圈的海上探險隊，也是我國第一個接近有名的羅絲海域及最南緯度紀錄──67°S的航行。**

該探險活動在其於次年4月23日安返國門後結束，全程為時156天。

(50)《1984 / 85年(四)台灣南極 南極漁業科學研究探險》

1984年11月7日，由廖學耕所率領包括張士軒、簡春譚及彭昌洋等4位漁業科學專家以及呂

近代的南極探險活動

方國船長為首的航海人員啓程再度取道紐西蘭南下進行了「第四次台灣南極漁業科學研究探險活動」。

他們隨海功號先在澳洲東岸外之漁場作調查，再橫越南冰洋至喬治五世領地附近海域作南極蝦捕撈及漁業科學研究，回程再於紐西蘭之亞南極海域作漁場開發調查。

次年4月5日，在人船安返基隆後結束了這個為期共150天之海功號的最後一次南極之行。

綠色和平組織之標記（作者）

(51)《1987 / 88年 國際綠色和平組織 世界公園運動南極探險》

為了避免南極採礦造成世界環境甚至引發戰爭 (*10) 之浩劫，國際綠色和平組織積極響應「南極世界公園運動」（見第204頁）。前往羅斯島之南極最大的墨克麥得基地旁邊設立並「以身作則、成功及乾淨地」運作一個非政府性的基地乃成為其策略，除利於「監督」各國遵守南極條約而乾淨運作研究基地並督促其尊重南極地區極為脆弱的生態環境與其對全球環境的重要影響機制，從而配合其他世界環保組織及世界輿論推動前述運動。

1987年1月6日，一艘897噸的綠色和平號載著15位國際綠色和平組織的科學家、相關人員及2位媒體記者自紐西蘭之基督城南下，10日後安抵羅斯島。

在小心地選擇了地點後，他們即著手建造一個長16.6公尺、寬6.25公尺的木屋——迷你的「世界公園基地（WPB）」。同時另一批人員即慕名去探訪鄰近之美國之墨可麥得及紐西蘭之史考特

175

基地附近綽號為「鋼鐵棲息地（Steel Colony）」（相對於企鵝或海豹棲息地）——一個在浮冰上、嚴重違反南極條約、堆置著連汽車及有毒的電池等廢棄物都有的大垃圾場以待浮冰破裂而將其沒入海底。包括一張有1部標示著紐西蘭南極研究計劃（NZAP）及標誌的廢汽車與旁邊是其科學家正在作冰雪污染取樣的照片被攝取後，即先被傳送到紐西蘭之媒體發表。

經過折衷，他們分別進入該二國基地觀察其廢物（包括前者已拆除的核能電廠遺址）及污水處理情況並作污染標本取樣及意見交換。2月中，在留下四個過多人員後，他們一行沿途探訪剛完成的義大利金星基地、廢棄了的美、紐之哈利特岬（Cape Hallet）基地、在建造飛機跑道嚴重危害生態環境的法國得弗里基地（見第225頁）和澳洲之碼奎麗基地，並分別作照相、污染取樣並宣示其運動宗旨。

他們一行在3月初返回紐西蘭之首都威靈頓，隨行攜回有二個自「鋼鐵棲息地」分別標示著紐西蘭南極研究計劃和墨克麥得基地之燃油容器，前者在國會大廈前被交予其科學及技術部長，後者則被交給美國駐紐國大使。

「南極世界公園運動」在往後數年中繼續推動，包括每季前往世界公園基地替換人員、探訪各國南極野外研究隊及羅斯海域以外的研究站之作業和公共教育之進行（*11）等，直到1991年馬德里環境協議書簽訂後，其基地才被極乾淨地撤離。

雖然該運動已休止，惟該組織仍繼續定期前往南、北極探訪研究基地，並搜集全球環境變化在極地顯現之徵兆以推展相關環保運動（見第273頁）。

世界公園運動南極探險報告

附註

（*1）他由阿拉斯加之巴羅角（Point Barrow）飛到挪威的史匹資伯根（Spitzbergen），這是「人類首次自北美洲經北極地區到北歐極地間之飛行」。

（*2）他們自挪威的史匹資伯根到阿拉斯加的泰勒（Teller），航程5460公里、花費70多小時，該飛船名為諾奇號（Norge）。

（*3）它是航空母艦的前身，可載運數架小型水上飛機並配備有加油及彈射起飛設備。飛機係降落在海面上，後被吊起再置於甲板上。當時的德航即使用它作為其橫越大西洋飛行的中繼加油支援站。

（*4）僅管其領土宣示得到澳、紐及法國的承認，但德國認為其有效性需基於有否實質佔領或至少需有主權宣示標樁的插釘。

（*5）他在1953年5月29日與尼泊爾人諾凱（Tenzing Norgay）完成了人類首度登上聖母峰之舉，後被英皇封為爵士，現今紐幣5元鈔票即有其圖像。為感念雪巴族人的幫忙，他日後每年均奔波於兩國間積極從事對尼國的募款援助。

（*6）他引發了日後該國之南極事務機構對極地人員的遴選作業持極端、謹慎之態度。

（*7）它是為今日澳洲之凱西研究站（見第226頁）之前身。

（*8）由於帶手套無法操作工具及抓拿零件，而光是觸摸低溫下的金屬便足以使手嚴重凍傷。

（*9）相較於其他國家，在南極探險史上不乏烏龍事件（參見探險選錄第4、7、15及43）。

（*10）他們堅信：歷史證明「和平與資源未曾共存」。

（*11）筆者於1989年冬客居在紐西蘭北島的陶波湖（L. Taupo）鎮期間驚遇紐西蘭綠色和平組織的全國巡迴簽名說明會，他們發起1人一信給其國會議員要求該國在南極條約會議反對南極採礦並支持「南極世界公園」議案。

午得（左）與史萬抵達南極點／探險選錄第54（Gareth Wood）

現代私人的南極探險活動 12

私人的南極探險活動各有特色且常伴隨著社會運動，昂貴之商業性的後勤服務可提供其相當地協助，惟各國之研究基地則較不願被其打擾。

商業的探險服務

由於南極大陸的特殊自然條件使得在那裡的補給及緊急救難困難且極為昂貴 (*1)，國家性的科學探險活動較易於取得其他研究基地的支持與配合，而私人的探險活動則不然。由於「南極點」常為其所規劃的一環，使得在該處的美國研究基地常被尋求以上的協助，但他們則不願每年短暫寶貴的研究時間與人力物力資源被分散到不是其本分的工作上，因此「不承認、不支持且不開放基地」便成為包括美國及其他國家之南極事務機構對私人探險活動的基本政策，而使得私人欲舉辦探險活動（尤其是大型的）極為艱難。

惟自1985年發展出的「大自然冒險運動」之商業服務（見第262頁），已可提供相當的協助。

現代私人探險活動選集

以下搜錄數個現代各具特色的私人南極探險活動，他們的經費除了本身籌款（包括借貸）之外，常來自各界捐助而伴隨有社會運動主題。

(52)《1972 / 73年紐西蘭獨自帆船半環繞南極大陸探險》

1972年10月19日，紐西蘭醫生路易士（David Lewis）獨自駕駛著他長只10公尺的鐵殼帆船——冰鳥號（Ice Bird），自雪黎啟程向東南航向南冰洋。

次年1月29日，在歷經暴風與狂濤的洗禮及二次的翻覆，冰鳥號終於抵達航程約9700公里外位於南極半島西岸的美國怕碼基地，而完成了其首季的航程。

次年的12月12日，路易士繼續了他的第二季航程。他突破浮冰拜訪了喬治王島上的阿根廷之資拔尼基地，再繞過南極半島尖端，並探訪了英國在南奧克尼島上之西格尼研究基地。他繼續向東行，在歷經數次翻覆下，在2月24日安抵南非的開普頓而完成了他的「獨自駕駛帆船半環繞南極大陸探險活動」，他後來又作過數次帆船探險。

現代私人的南極探險活動

(53)《1979 / 82年英國橫越南北極環球探險》

這個大計劃係由英國的費尼斯（Ranulph Fiennes, 1944—）夫婦主導並自1972年初起籌劃，由於規模空前龐大所牽涉的資金、人員、器材、知識、海空運補等之安排工程浩大。他們得到英國皇家地理學會的支持及超過600個資助者的贊助，從企業界斥資購買了1條驅冰船——波林號（Benjamin Bowring）、1架輕型飛機，各種器材捐助以及許多海陸後勤義工多年不離的協助。他們更聘請到當代最佳南極飛行員—柯蕭（Giles Kershaw）及機械師尼可森（Gerry Nicholson）。

原本希望三年成行的卻拖到第七年，即1979年的9月1日，在包括南極點的支援部分及其他一些細節未完成安排而留給其執行委員會繼續努力之下費尼斯等共5個人、3步四輪傳動車各加掛1部拖車自格林威治出發，他們延零子午線南下經法國、西班牙、西非的阿爾及亞、馬麗、象牙海岸，再以波林號越過南大西洋到南非。其中除開了三場展覽會，他們並一路進行一些國際研究機構所交賦的任務，包括在西非沙

往南極點途中的費尼斯與伯登（Sir Ranulph.Fiennes）

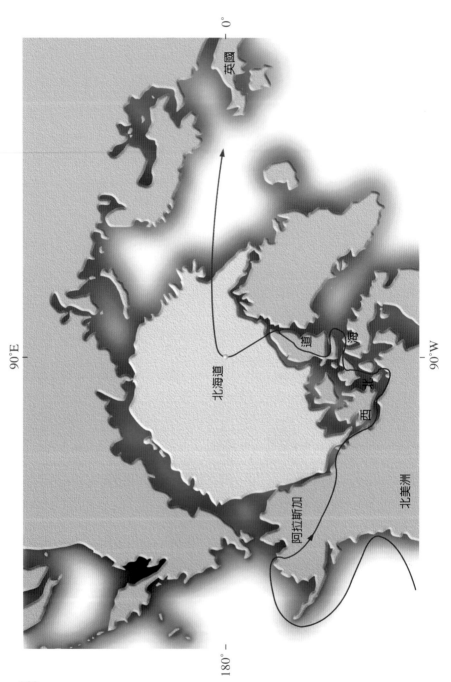

現代私人的南極探險活動

182

漠捕捉一種小蜥蜴（Skink）、氣象紀錄及南北極冰帽鑽冰取樣、尿液收集等沿途搜集科學資料之任務。

12月22日，他們一行搭波林號離開南非航向南極。次年1月5日，他們抵達了南非基地附近海岸，而柯蕭及尼可森也駕機自英國經加拿大加裝起落滑展後一路南下趕到現場。波林號離去後，經柯蕭空運了78航次的協助他們將裝備運到內陸約370公里處紮營過冬，並曾在7月底經歷最冷的日子——風凍效應 - 90.5°C。

10月28日，費尼斯、雪琶（Oliver Shepard）與伯登（Charlie Burton）3人分別駕駛機動履帶雪橇各拖行二個載重約545公斤裝備的雪橇向南極點出發。費尼斯之妻姬尼（Ginnie）及葛蘭姆斯（Simon Grimes）留在原地負責通信，自福克蘭島避冬回來之雙獺式飛機負責後勤運補。他們很快爬上南極高原，雪琶不忘每隔1緯度作鑽冰取樣。他們在該從未有前人涉足的路程沿路遭遇冰縫及冰浪，其中後者需用雪斧開路而滑溜的路面不乏有人車翻覆的事故。

自北極點南下的費尼斯與伯登
（Sir Ranulph.Fiennes）

諷刺的是，柯蕭曾緊急搜救出險的南非野外地質研究隊，經英國外交部的努力，美國終於同意開放其南極點基地及提供後續的航空油料等協助。他們也在12月15日抵達了南極點，柯蕭也把人員及相關設備運到成立了前進支援站。

由於自南極高原下羅絲冰棚的路段多冰縫難行，未等聖誕節的到來他們即把握時間在12月23日上路。柯蕭優秀的飛行技術提供不斷的補給和空中偵查，但他

183

們仍曾在20分鐘內驚險地駛過40個冰縫。進入冰棚後，他們折往紐西蘭基地且一年多前發生大空難（見第255頁）之愛樂伯斯火山逐漸浮現。1981年1月11日，他們3人經連夜更換一個引擎後完成了以「開啟車輛」經67天、約3200公里之「人類第二次橫越南極大陸的探險活動」，而當時美國雷根總統的賀電也不斷湧到。

2月15日，他們出發隨波林號經紐西蘭、澳洲、美國及加拿大北上，開了4場展覽會，包括各地主國政要、將結婚而正在澳洲訪問的贊助人查爾王子與戴安那及雷根總統均曾出席。由於雪琶因故退出，費尼斯與伯登2人繼續北上到阿拉斯加西岸，繼換橡皮艇溯屋剛（Yukon）河而上，後陸路以四輪傳動車續換海路以機動小船在姬尼和雙獺式飛機的支援下只花了35天橫渡極端艱險的西北海道（Northwest Passage）(*2)，再步行橫越加拿大在北極圈內之愛麗絲密爾（Ellesmere）島至其東北角的阿樂特（Alert）紮營過冬。次年2月13日繼以機動雪橇上路而於4月10日抵達了北極點，而成為**世界上第一批到過南、北極點的人**，他們換以鋁製小船配合手划或人力拖曳到挪威的史碧茲伯根（Spitsbergen）。

8月29日，這個花了將近三年、里程約83700公里的探險活動在波林號載全體人員回到格林威治後劃下了句點。費尼斯夫婦採用了一種當初沒想到之空前絕後的方式終於完成了他們21年來環遊世界的夢想，出呼預料的是在自構思到完成之前後10年半期間，竟然促成了工作人員之間的13對姻緣。

(54)《1985/86年英、加人力拖行雪橇南極點探險》

這是個由英國皇家地理學會支持、籌劃七年之「追隨1910～12年史考特之腳步（In the foot steps of Scott）」的探險活動。一個5人小隊在1986年2月初抵達羅斯島並在史考特(1911)木屋旁建造1棟木屋後，續有一個3人小隊先攀登附近包括愛樂伯斯等三個山峰，繼之密爾斯（Roger Mears）、史特勞德（Mike Stroud）醫生及午得（Gareth Wood）又摸黑自6月28日到7月25日作了一趟極為艱辛的克羅吉亞岬帝王企鵝棲息地「隆多」之旅。

在過冬之後，密爾斯、史萬（Robert Swan）及午得等3人於11

現代私人的南極探險活動

左起史萬、密爾斯與午得於南極點（Gareth Wood）

月3日在不用雙向通信設備、無補給與緊急救難之下分別拖行最重146公斤之雪橇，自羅絲島出發，經溯皮爾德摩冰河且在南極高原上橫越了580公里後，於次年1月11日完成了當年史考特未竟之全程1420公里為時71天到南極點的旅程。惟前來接他們的船南尋號（The Southern Quest）卻在同一天於羅斯島附近沉沒。

這是晚近私人第一次以人力拖行雪橇且無外援（Unsupported）單程到南極點的探險活動。

(55)《1986 / 87年挪威狗拉雪橇南極點探險》

挪威的冰河學家克里斯丁森（Monica kristensen, 1951－）經過六年的準備，使用購買之1艘舊捕鯨船，在1986年10月率領2位丹麥及1位挪威之探險隊員伴隨22條狗南下羅斯海域，以追隨當年該國探險家阿蒙生的路線作南極點來回探險。

惟因為延誤，他們遲在12月17日方在鯨魚灣登上羅斯冰棚。在攀越南極縱貫山脈並挺進到離南極點440公里處後，自知時間不夠而折返。他們在經一次空頭補給後，於次年1月30日海上浮冰開始要結凍時趕回鯨魚灣。僅

管這是一次未完成的旅程，但卻係空前地由一位婦女所主導及率領，且其里程竟也遠達2000公里之遙。

克里斯丁森在1993年底又作了一次嘗試自威斗海岸登陸，目標包括挖掘阿蒙生在1911／12年於南極點留下而已被積冰掩埋在12公尺之下的國旗與營帳、、等器材作為在次年於該國舉行的冬季奧運會展覽，惟因1位隊員掉入冰縫喪命而取消。

(56)《1989 / 90年國際狗拉雪橇橫越南極大陸探險》

這是一個人類在地球上最長程、最艱難及最考驗團隊合作之陸上探險活動。主導者為曾是初中老師的美國人史迪格（William Steger）與法國人愛田尼（Jean-Louis Etienne）醫師，他們係在1986年5月作途中無補給之北極點探險活動上結識而策劃了這一個前者夢想了30年的探險計劃(*3)，此由來自不同國家的6個人組成之傳統狗拉雪橇隊，自南極半島尖端切入推進到南極點，再橫越地球上最冷之南極高原上的「南極最難抵達之地區（The Area of Inaccessibility）」(*4) 至

俄國之東方研究基地，後往其和平研究基地出海，全程需自冬末出發而趕在秋初完成。其間除前述地區在1959年有俄國的機械車隊走過之外，全程從未有前人「涉足」，包括「實質路面」及沿途天候資料均毫無所知。

史迪格與愛田尼積極地分別籌募到100及200萬美金及各項贊助，並訂造了1艘船。俄國的極地研究所除推薦1位曾在東方基地工作過的氣象學家波亞斯基（Victor Boyarsky）參予之外，並答應提供天候資料、食物補給點安置、緊急搜救及開放二個研究基地等路程後半段的協助。他們另找到懂得操控狗拉雪橇之英國的蘇摩斯（Geoff Somers）與日本的船津（Keizo Funatsu）。另外，又精選並訓練了40條哈斯基狗，它們需拖行三個雪橇，分別載重可達455公斤，並在低溫下長時間與長程地工作。

1988年底，重達5噸之食物、400桶瓦斯和30000包狗食等補給品分別海運到雪特蘭群島之喬治王島及到另一端的和平基地，再分別包機沿途空投到南極點及由機械車隊沿途安置補給點

現代私人的南極探險活動

到東方基地。而二者之間則由包機在南極點待命依進度作空投補給及緊急搜救。

經過三年的精密籌畫，他們一行含國際媒體、製片及其他相關人員終於次年7月26日輾轉飛到了南極半島尖端的出發點，在背負著往後每日面對的艱難，尤其是對六個來自不同國家的團員之耐力與合作考驗、資助者及政府們巨大的期待壓力和對自己夢想的承諾，他們踏上了征途。

前數週他們每天有近8小時的白天，而自10月起進入永晝期。由於時值冬末，一路天候不佳，不能上路的日子比能上路的日子多得多。他們在暴風、風凍效應曾達 - 83.34°C及能見度極低之下，於南極半島部份只能找到六個當中之三個補給站，這意味人員及動物均需挨餓。在9月30日的第66天，在抵達與大陸南極交界處時，他們只好呼叫智利的支援站空運補給並退換狗與部份裝備。

其科學研究工作仍然沿途進行，愛田尼每日為歐洲太空研究處（ESA）收集人畜排尿和體溫以作心理及生理壓力研究，而美國太空總署則委託作飲食的研究。波亞斯基每日作三次的氣溫、氣壓、風速、風向及溼度紀錄，並在9及10月的春天中每日作大氣中臭氧之濃度紀錄。秦大河則約每50公里耗時半小時到1小時半挖冰1.5到1.8公尺以搜集冰片標本，以作氧的同位素及化學分析。

他們的狗曾數度掉落數十公尺深的冰縫內，必需將人員以繩索繫住放下去拯救它們上來。10月22日，一條狗衰竭而死。31日，夜宿於南極最高峰之文生山下，至11月7日，抵達後勤承包公司的營地而有近四個月來第1次正式的餐點及沐浴；但原本期望養精蓄銳二天的卻因費力交涉以確保後勤服務而泡湯。在更換了10條狗後，懷著極度擔憂的心情繼續上路。

12月11日，第138天，他們完成了約3200公里路程而抵達南極點。在蘇聯的南極機構之協助交涉下，方使美國之阿蒙生·史考特基地同意提供後勤承包公司無法履行作為後續行程之補給與緊急搜救所需的飛行油料。但他們只能在基地內停留三個鐘頭並

接受一杯咖啡招待，主管其南極事務的國家科學基金會還特地自墨可麥得基地派專人來監視並紀錄整個「過境」活動，這與在喬治王島時他們受到智利、蘇聯及中國基地之熱烈歡迎相較有天壤之別，美國籍的史迪格尤難以忘懷。

他們曾持書寫「和平」的橫旗在南極點讓媒體及製片人員拍照，祈使該國際探險活動對南極以及人類和平作出貢獻，並表達探險家們熱愛及尊重大自然環境之本質。

在紮營休息了三天並重換了2條狗後，他們繼續上路，幸運地是當時南極高原並未如預期有深厚的積雪。但由於係一望無際及單調的雪白沒有任何路標且通信困難，故他們沿途約每3.5公里即建一約1.5公尺高的角錐型雪標以利空投補給或緊急搜救（見第64頁）。此行為**人類首度徒步橫越「南極最難抵達之地區」並蒐集冰雪標本**。1月18日，第176日，他們抵達蘇聯的東方基地而有五個月來第一次熱水澡及正式餐點。

繼續的行程中，他們路過3475公尺的最高海拔，呼吸已有些不順暢。2月9日開始下坡，風勢愈大，風凍效應曾達-80.5°C。一路不變的食物，胃口極差。2月26日，首度見到海洋。3月1日下午在離終點只有25.7公里紮營處，船津因外出飼狗而在大風雪之低能見度中迷失14小時，經全體手拉手環繞搜尋不獲，至次日清晨才在離營帳約100公尺處他所挖的雪窖中找到他。

3月3日也是第220日，他們終於完成了約6200公里的里程抵達了和平基地。包括當時美國布希總統之賀電紛至沓來，**電視媒體作了南極首次之實況訪問轉播**，他們曾作了這樣的發表：「這趟活動在開啟我們對南極大陸保護的宣揚目標，挑戰才正開始。」

史迪格等人途中經十二個補給點完成了「人類第四次之橫越南極大陸探險」，它是**人類唯一使用狗拉雪橇且是里程及時間最長之橫越南極大陸探險活動**。他們有12條哈司基狗從頭到尾跑玩全程，其中有2條更分別到過南、北極點。

(57)《1989 / 90年義大利人力拖

行雪橇橫越南極大陸探險》

義大利探險家美思諾(Reinhold Messner) (*5) 繼1986年12月攀登上南極的文生山後，經過三年的準備與德國極地探險家福克斯(Arved Fuchs) 為配合「南極世界公園」（見第204頁）運動，原本想自威斗海的儂尼或菲爾克那冰棚起程以橫越南極大陸的計劃，因天候及後勤承包公司的延誤被迫改變二次計劃，而於1989年11月17日照原預定慢二週，卻必需在次年2月15日趕到終點的壓力之下，以人力拖行約120公斤之裝備配合風帆助力、沒有緊急救難的方式改自儂尼冰棚與南極大陸交界處出發。

他們在12月31日經一個空投補給而抵達南極點，經另一次補給，三天之後他們繼續上路。在適當地操作風帆助力下，他們曾有一天推進100公里之紀錄。次年2月12日他們終於趕抵了紐西蘭的史考特基地而完成92天、通過6000多個冰縫、風速最高每小時150公里而約2900公里的旅程。這是人類首次之該項探險紀錄，也是「人類第三次之橫越南極大陸探險活動」，而福克斯則成為世界上第一個在同一年內完成南北極點探險的人。

(58)《1990 / 91年挪威人力拖行雪橇橫越南極大陸探險》

1990年10月24日間挪威人墨得兄弟（ Sjur & Simen Mordre ）自威斗海那端之博克納島以狗拉雪橇出發，另1名攝影師澳狄家德（ Hallgrim Odegard ）使用人力拖行雪橇配合風帆，在菲爾克納

行程中（Alain Hubert）

順海德勃格冰河橫越南極縱貫山脈（Simen Mordre）

冰棚與南極大陸交界處與其會合，他們於12月14日——阿蒙生之後79年的同一天，抵達南極點。6天之後，他們上路經當年阿蒙生的路徑越過南極縱貫山脈而在次年的2月5日抵達羅斯島的墨可麥得基地。

此行全程為時105天是「人類第五次之橫越南極大陸探險活動」。

(59)《1992/93年挪威獨自無外援人力拖行雪橇南極點探險》

挪威律師卡格（Erling Kagge）在1992年11月18日自威斗海域的博克那島出發，除了緊急救難撤退之外，在「無外來支援且獨自拖行雪橇」載重91公斤之下，於第50天，即次年1月6日成功地抵達南極點。

他是第一個以上述方式抵達南、北極點（1990年）和登上聖母峰（1994年）之三個世界最高點的人。

(60)《1992/93年美國婦女人力拖行雪橇南極點探險》

1992年11月9日，由8歲時便研讀探險故事且曾是體育老師，並在1986年參與史迪格之北極點狗拉雪橇探險的班卡羅夫特（Ann Bancroft, 1955－）為首，包括蘇比（Sunniva Sorby）、吉拉（Sue Giller）和得華拉（Anne Dal Vera）等共4位組成之美國婦女南極點探險隊經四年的訓練後，自南極大陸與儂尼冰棚之交界處出發南下。

他們分別以人力拖行載重約100公斤之雪橇配合風帆助力、在二次空投補給支援之下，成功地於次年1月14日完成為時67天、1065公里旅程而抵達南極點。 班卡羅夫特也因而成為**世界上第一個以滑雪及步行抵達南／北極點的婦女**。

(61)《1992/93年 英國無外援人力拖行雪橇橫越南極大陸探險》

這是人類第一次作無外援並以人力配合風帆拖行雪橇之橫越南極大陸之探險活動。1992年11月9日，曾完成先前之環球探險（選錄第53）的費尼斯與曾參與追隨史考特路徑的探險（選錄第54）之史特勞德醫生，自臨威斗海的博克諾島以當時體重分別為95.5及73.4公斤、中途無補給人

現代私人的南極探險活動

登上馮恩山頂的馮恩先生（GORDON WILSIE）

作者與馬金太夫婦（劉思漢）

力拖行220公斤的雪橇南下。

　　他們歷經飢餓、掉入雪縫、凍傷壞疽、器材故障及失溫，終在次年11月16日抵達南極點，惟在後續路程中加上食物不足及體力不支，而在第95天的2月12日於羅斯冰棚上完成了全程2700公里中之2200公里宣告失敗後被撤離。此行在當時之花費約為22萬5千元美金。

　　費尼斯曾首創10項世界紀錄，此行之南極點探訪是他的第二次。

(62)《1994年 美國 高齡夫婦
　　　南極大陸登山探險》

　　在1993年11月，曾參與1928／30年博德之探險活動（選錄第

37）之狗拉雪橇操作員馮恩（Norman Vaughan, 1905─），攜其妻卡洛琳（Carolyn）計劃使用狗拉雪橇橫越羅斯冰棚，再攀登當年以其為名高度為3140公尺的瓦馮山而慶祝其88歲生日之活動，因飛航事故而取消。

次年底他們捲土重來而直接飛到該山腳下，後由二人伴隨經九天而在12月16日在馮恩先生89歲生日前3天完成了他65年來的夙願，成功地成為登上該山頂的第一批人，除了慶生並追憶當年往事、老友和歌頌人類的好友─永不怠懈的哈斯基狗。經在山頂上過宿一晚後，次日他們花了12小時才下到山腳營地。

(63)《1995 / 96年澳洲無外援南極大陸蟄居探險》

1995年1月15日，在典賣資產、借貸加上各界的資助並割掉盲腸 (*6)及結紮後之後，澳洲的碼金太爾（McIntyre）夫婦領著5位船員，駕著1艘長18.3公尺、的雪黎精神號鋁製遊艇滿載了4噸重的裝備，小心翼翼地穿過浮冰而停泊在聯邦海灣、墨生木屋附近有最強的南極下坡風紀錄的丹尼森岬。

在完成了建造了一個長3.6公尺、寬2.4公尺和高2.4公尺的小屋以作為其未來一年的南極家園以及1艘觀光船幫他們載來另一部份裝備之後，2艘船分別離去。

2天後的晚上，他們即首嚐時速高達203公里之狂風肆虐。僅管有鋼索固拉在岩石上，但在強風之下，小屋不斷搖晃而臨風之牆面竟向內彎區了5公分，而且需提高嗓門方能對話。使用煤油暖爐雖然可以將頂部室溫提昇到20°C左右，但卻造成原本內壁所結的冰之融化而滿室潮濕。

6月2日，強烈的南極光連續襲擊2個小時。6月21日，他們經歷了時速240公里之狂風，極細的雪粉從微小的細縫鑽進屋裡而形成雪堆。整個7月份，他們只有58小時又20分日照。8月18日，他們趁天氣良好外出，但瞬間天候劇變能見度低到看不到自己的腳。

在紐西蘭電話公司的贊助下，他們在隆冬時進行了與選定之該國的70個學校透過其衛星通信網路作立即直接對話的南極教學計劃 (*7)，其中一個學校還特

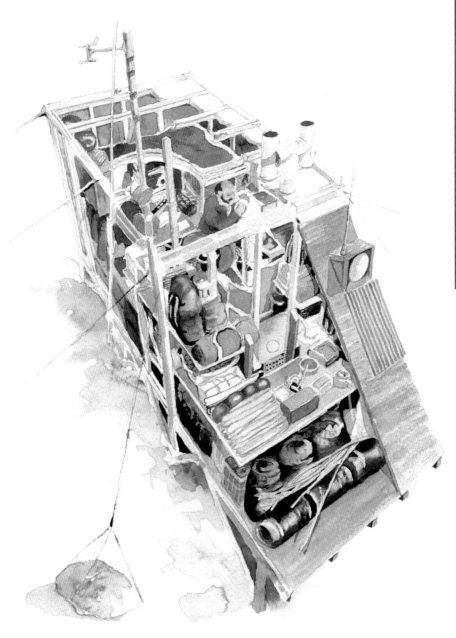

需妥為固定在岩石地上，原已狹小卻塞滿用品的南極小屋

地建造了一個與他們類似的木屋並在不使用暖氣之下讓學生實地模擬體驗南極的蟄居生活。其他澳洲、美國、及日本也均有與上述類似的教學活動。

9月7日及14日，分別有雪燕、岬燕和賊鷗出現，10月20日，阿得里企鵝也回來了，這意味著春天的到來。

次年1月14日，碼金太爾夫婦隨他們再度前來的雪黎精神號回航澳洲，船上載的除了50個他們「南極製造（Made In Antarctica）」的玩具熊以提供給一癌症研究基金會義賣之外，還有數桶應其南極科學研究機構要求所搜集卻仍標示著其原來的內容——甜點和巧克力之海豹糞便標本。

該項活動在當時耗費了60萬澳幣。

(64)《1996／97年挪威無外援獨自人力拖行雪橇橫越南極大陸探險》

1995～96年夏天，與包括5名南韓人、有二次橫越南極大陸經驗之英國的費尼斯（見選錄第53及61）與年僅32歲之波蘭探險家卡明斯基（Marek Kaminski）等強力的競爭者等共7人，參與

「無外援獨自人力拖行雪橇橫越南極大陸探險」(*8) 競賽途中均宣佈失敗的挪威人奧斯蘭，（Borge Ousland）在1996年底與後二者捲土重來。

他在飛抵博克那島後，於格林威治時間11月14日凌晨獨自以同樣方式南下，而於第35天的12月18日抵達南極點。在隨原挪威探險家阿蒙生之路徑橫越南極縱貫山脈後，雖曾以16個小時完成226公里，卻也曾以時速不到2公里在接近終點的紐西蘭基地前之冰縫區困難地推進。他終於第64天即次年的1月17日凌晨5時完成了2830公里的旅程而成為**該種紀錄之第一人**。其他2人均因故於途中退出。

由於奧斯蘭的提早抵達，趕上正在作40週年的慶祝活動史考特基地，除平添了不少喜氣，他也得以早點在那裡作二個多月來之第一個熱水浴。

(65)《1997／98年比利時南極探險100週年橫越南極大陸探險》

為紀念1897／99年葛拉治之比利時第一次南極探險（見選錄第20）100週年，44歲且有南北

越過冰浪中的狗拉雪橇隊（SIMEN Mordre）

195

以精確控制的風帆助力（Michel Brent, Brussells）

極與喜馬拉雅山經驗之土木工程師赫柏特（Alain Hubert）與35歲且曾為該國風帆比賽冠軍有北極與喜馬拉雅山經驗的空服員丹色柯（Dixie Dansercoer），作了一個全新路徑的橫越南極大陸探險活動。

1997年，11月4日，他們自該國位於毛德女王領地已棄置的研究基地，以人力配合特製風帆拖行載重分別為200及160公斤的雪橇出發。雖然行前經過極精密的規劃及器材準備與測試，但三天之後其雪橇即嚴重磨損。他們吃力地拖行攀上極地高原，並為其研究機構每150公里首度採集該路線之冰雪標本與作冰帽表層結構攝影。緊急訂造之雪橇輾轉在12月1日空運到現場，他們在二天後抵達南極點。1月5日啟程趕路，他們曾破紀錄地曾在20.5小時內完成271公里，亦即1天內

只推進數公里。他們在2月10日到達羅斯島的美國墨可麥得基地，在全程3924公里中，他們極為成功地使用風帆，推進了3340公里。

此行是**人類首次以人力配合風帆橫越南極高原的探險活動**。

附註

(*1) 以1992／93年時為例，在智利一桶45加崙的航空燃油價格約在120元美金，但在南極點假如可以買到，則會變成約24000元美金。

(*2) 它位於北極圈內加拿大之北領地的群島間，是北極海中自古人們試圖自大西洋通往太平洋的航道，其彎曲狹窄並充滿淺灘及浮冰又經常吹括強風及籠罩雲霧而海難頻繁為世界上最難航行的海道之一，過去常需二到三季才能通過。

(*3) 他自小研讀美國國家地理雜誌，各國之南極科學研究及1956／57年福克斯等人完成之南極橫越等活動，使其對人們如何克服困境求取生存發生極大興趣，因而立志有一天也能作南極大陸的探險活動。

(*4) 它是世界最大及最偏遠的寒冷高原，其常有深厚的積雪使得陸上行進極為困難。另因太陽黑仔活動頻密（尤其在每年1月左右），其亦是世界上無線通訊最不佳的地區，在那裡補給及救難困難探險者視之為畏途。

(*5) 他曾在1980年不使用氧氣筒攀登聖母峰，並為第一個完成攀登世界前14座每座超過7925公尺之最高峰的人。

(*6) 由於將無任何外援，為免因極冷和多食高纖維食物而造成其發炎而將其切除。

(*7) 筆者在次年2月自紐西蘭組成探訪羅斯海域之第一個台灣團員（見第261頁），其中即有3位學生特地請假同行，目的在實地探訪其在該教學計劃下所曾通話之另一端的南極大陸。

(*8) 卡明斯基只使用單向訊號發射機，而前述 (*7) 的船即準備在羅斯島接他們返回紐西蘭。

NEW ZEALAND MINISTRY
OF FOREIGN AFFAIRS & TRADE

MANATŪ AORERE

*Information
Bulletin*

NEW ZEALAND
AND THE XXIst
ANTARCTIC TREATY
CONSULTATIVE
MEETING

紐西蘭外交部出版的第11屆ＡＴＣＭ大會報告

南極的政治 *13*

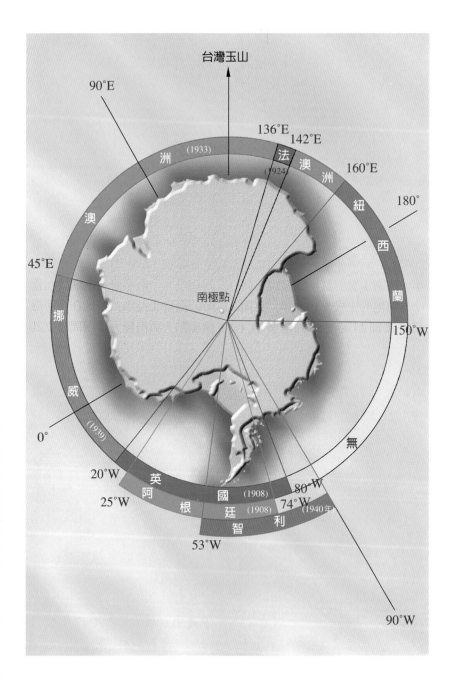

台灣玉山

90°E

136°E 142°E
160°E
180°

洲 (1933)

澳

(1924)

法 澳 洲

紐

西

蘭

45°E

150°W

挪

南極點

威

0°

無

(1939)

20°W

英 國 (1908)

80°W

25°W

阿 廷 (1908)

74°W

根

智 利 (1940年)

53°W

90°W

自本世紀初起，各國紛紛於南極大陸劃分勢力範圍並宣佈主權。「1957/58國際地球物理年」促成了南極條約之簽署及人類首度由國際間共同和平使用一個地區，後經折衝而將南極地區劃為「世界公園」。

南極大陸的瓜分

1908年，英國及阿根廷先後宣告其對南極半島的主權，這開啓了人類在南極大陸的主權爭端。1923年，英國又劃定了羅斯屬地（Ross Dependency），並宣告其主權即將轉移給紐西蘭。次年，法國重宣對其早期發現之阿德里領地的主權。1933年，英國又替澳洲劃定澳洲南極屬地（Australian Antarctic Territory），並宣告其主權。1939年1月，挪威亦重宣其對毛德女皇領地的主權，而德國與蘇聯均予反對。1940年，智利也宣告其對南極半島的主權。

南極條約（Antarctic Treaty）

【南極條約的制定】

自第二次世界大戰結束後開始之冷戰時代，美國先於1946年直接將南極大陸當作軍事演習之訓練場所而進行了其「跳高行動」（見第168頁）。1948年，它曾試圖將南極地區變成其與前述宣示

主權之七個國家聯合共管，但由於南非、比利時與當時之蘇聯的強烈反對而作罷。繼之在1956／57年的冷凍行動中，它的政治策略性地於各國所宣稱擁有主權之重疊處的「南極點」及南極大陸四周設立了數個研究基地；而當時的蘇聯也互別苗頭地在「地磁南極點」與南極大陸四周設立其基地。雖然至此還未有任何軍事基地及武器部署，但在缺乏國際共同認可的法律之下，各國在南極地區的關係顯然逐漸緊繃。

「1957／58國際地球物理年」活動（見第208頁）不但促成其中阿根廷、澳洲、比利時、智利、法國、日本、紐西蘭、挪威、南非、英國、美國當時之聯等十二個參與國家之南極科學研究的國際合作，他們更在美國總統愛森豪之邀請下，於1959年12月1日在華盛頓達成了「南極地區的和平使用及建立國際秩序」之共識，並完成了「南極條約」的制

定與簽署，續於1961年6月23日先後由前述各國政府完成批准與生效。

南極條約涵蓋整個南極地區，這是人類第一次由國際間共同和平使用及管理一片陸地與海洋，亦是**聯合國成立以來首度以另起爐灶的國際政治系統來管轄一個地區** (*1)。

【南極條約的內容】

各簽約國政府承認為了全體人類之利益，南極大陸應該繼續永久地被專屬使用於「和平用途」，不得成為國際爭端的場所與標的。

重點：

1. 過去所有的主權宣告全予凍結，也不得有新的宣告。

2. 禁止在南極地區有任何軍事活動，但軍事人員則允許參與協助科學研究計劃及研究基地之運作。

3. 南極地區是非核地區，禁止任何核子試爆及核廢料之丟棄。

4. 可進行自由在南極地區之科學研究，科學計劃、人員及資訊等應定期交換。

5. 所有的研究基地及設備須開放並接受本條約所聘任的人員檢查。

【南極條約系統】

這個別名為「南極俱樂部（Antarctic Club）」的條約，現在有大約佔世界總人數90%之42個國家成為其簽約國。其中由前述之12個「原簽約國」及在南極地區「設有研究基地並進行積極的科學研究活動」的簽約國組成「南極條約顧問國（ATCP）」，他們在後述的「南極條約顧問會議」中均擁有投票權。現今共有27個南極條約顧問國，其15個非原簽約國如下：（括號內分別是其簽約與晉入顧問國之年月）

波蘭（6 / 1961, 7/ 1977）、荷蘭（3 / 1967,11 / 1990）、巴西（5 / 1975, 9/ 1983）、德國（原西德）（2 / 1979, 3 / 1981）、烏拉圭（1 / 1980, 10 / 1985）、義大利（3 / 1981, 10 / 1987）、祕魯（4 / 1981, 10 / 1989）、西班牙（3 / 1982, 9 / 1988）、中國（6 / 1983, 10 / 1985）、印度（8 / 1983, 9 / 1983）、瑞典（4 / 1984, 9 / 1988）、芬蘭（5 / 1984, 10 / 1989）、南韓（11 / 1986, 10 / 1989）、厄瓜多爾（9 /

南極的政治

1987,11／1990）、羅馬尼亞（9／1971, 5／1998）

其中荷蘭是唯一且**第一個為從事積極的科學研究但無設立研究基地的國家**（見第216頁）。另有15個「非顧問國（NCP）」，他們在前述會議中只為觀察員而無投票權：(括號內為其簽約年月)

捷克（6／1962）、史洛瓦克（Slovak）（*2）（6／1962）、丹麥（5／1965）、保加利亞（9／1978）、巴不亞新幾內亞（3／1981）、匈亞利（1／1984）、古巴（8／1984）、希臘（1／1987）、北韓（1／1987）、奧地利（8／1987）、加拿大（5／1988）、哥倫比亞（1／1989）、瑞士（11／1990）、瓜地馬拉（7／1991）、烏克蘭（10／1992，自1996年起設有研究站並積極地作科學研究，惟未申請加入為顧問國）

《南極條約顧問會議(ATCM)》

這是南極條約的最高會議，原每二年召開一次，後改為年會而通常在4／5月間舉行；除各顧問國出席之外，還有相關環保團體之民間組織代表列席。1997年的會址在紐西蘭的基督城，今(

1998)年之第二十三屆則在挪威的特龍蘇（Tromso）。

人類在南極地區之活動的管制、資訊之交換、歷史古蹟的保存、動植物及環境的保護、特別保護地區之設立、廢棄物的處理程序、污染的管制、旅遊活動的衝擊及世界環境變遷（Global Change)等常為其議題。

《南極科學研究委員會（SCAR)》

該會除了作南極科學研究之資訊交流並綜理協調南極科學研究之國際合作計劃，它每二年都會召開為期約二週之集會。有從事南極科學研究的國家均可申請入會，各會員國須向其提出每季之研究計畫與報告。

《南極動植物保護協定(AMCAFF)》

它於1966年生效，用以保護南極地區之動物與海鳥，必要時另設立「特別保護區（SPA）」和「特別科學研究價值保護區（SSSI）」。

《南極海豹保護協定(CCAS)》

它於1978年生效，涵蓋各種海豹的保育，包括捕捉威斗、食蟹及海豹作科學研究的數目限

制。

《南極海洋生命資源保護協定（CCAMLR）》

它於1980年生效，涵蓋較大自58 S以南除海豹、海鳥及鯨類（見第268頁）以外之各種海洋生命資源，並對南冰洋漁撈（尤其對磷蝦）作計劃管制。

《南極礦物資源及活動管制協定（CRAMRA）》

雖然紐西蘭在1975年提出並有智利的支持將南極地區劃為「世界公園（World Park）」的構想，但許多國家均以經濟利益而認為南極採礦不可免。他們從1982年起即不斷討論並試圖尋求作礦物開採而不影響南極保護的共識規定，最後在1988年6月於紐西蘭的威靈頓之南極條約顧問會議中通過決議──這開啟人類在南極大陸的關係將由合作轉向競爭。

《馬德里環境協議書（Madrid Environmental Protocol）》

為了避免瓜分資源甚至引發戰爭以及因採礦所預期對南極大陸本身乃至全球之生態、環境和氣候等造成巨大無法彌補之衝擊，包括聯合國及歐洲議會等均曾在1989年壓倒性地通過「南極世界公園化」之議案 (*3)，而公眾輿論──如史迪格等人在完成1989／90年橫越南極大陸探險活動後（見南極探險選錄第56）和「南極與南冰洋聯盟（ASOC）」轄下約二百個世界環保團體尤其是「國際綠色和平組織」（見第175頁）等亦大力推促「南極世界公園運動」之背景下，澳洲、法國、比利時及義大利等四國乃領先在1991年10月於西班牙之馬德里舉行的南極條約顧問會議中翻案並強力支持前述議案，儘管日本、南韓及印度棄權，但仍通過了「馬德里環境協議書」。它共有26章是對南極地區作全面保護的最新共識協定，其中強調：

1.將南極地區劃為「世界公園」，禁止採礦五十年並將它更明確地定義為「一個為和平及科學研究的自然保護區」。

2.規定在南極的所有活動須事先提出環境評估，並全部納入監督。

3.將南極旅遊歸類在前述之活動中而納入管理。

它有五個執行附件，詳細規定有關環境評估、動植物保護、

南極的政治

廢棄物處理、海洋污染防制及特別保護地區（SPA）和特別管理地區（SMA）之建立。其中「特別保護地區」是用以保護特殊的自然生態系統或史蹟(*4)，須要有許可方得進入該區；而「特別管理地區」則涵蓋那些在那裡的人類活動須特別規劃及統合的地區，如南極旅遊之登陸地點。

儘管該協議書有幾個瑕疵：

1.禁止採礦期限設定為五十年且有翻案與修改之條款。

2.沒有責任及賠償條款。

3.沒有糾紛處理規定。

但它在取得「對南極大陸作廣泛地保護之國際共識」上仍算是一大突破，該協定由西班牙領先在次年7月、美國及俄國分別延到1997年4月及日本最後在1997年的12月方完成所有26個顧問國之國會批准，而能在通過六年半後於去年（1988）1月14日正式生效。包括挪威、瑞典、澳洲、荷蘭、德國、英國、比利時、芬蘭、美國、日本及紐西蘭等都已將之列入其國內法律系統內。如紐國之國會即早在1994年通過「南極大陸環境保護法」。該國還領先設立獨立的環境稽核系統，以監督及評估其所規劃之南極活動對前述之馬德里環境協議書的遵守情況。

有關責任賠償、糾紛處理甚至常設之南極條約秘書處等均已其近年的顧問會議中逐一被提出來討論。

附註

(*1) 非南極條約之簽約國的馬來西亞曾因此在1983年之聯合國大會提出討論，主張南極大陸屬全球各國所有，故理應由聯合國系統來管轄。

(*2) 史洛瓦克係由原捷克於1993年1月所獨立出來的新國家。

(*3) 馬來西亞曾再度向聯合國大會提出討論，主張南極大陸之自然資源屬全球各國所有，不應由南極條約之簽約國瓜分。

(*4) 史蹟的保護：紐西蘭有「南極傳承基金會（AHT）」、澳洲有蒙生木屋基金會（AAP）及英國的「傳承基金會（UKHT）」分別負責羅絲海域地區、聯邦海灣地區及南極半島地區包括古基地／住屋、內部遺物和紀念碑等史蹟的維修與保護。

各國的南極科學研究活動 14

國際南極資訊與研究中心（作者）

許多國家均有其南極事務政策，從事南極科學研究除了有利國計民生，也是一種參與國際政治活動的方式，有些國家雖無設立研究基地卻照樣進行其南極科學研究。

國際極地科學研究活動

1875年，曾參與北極探險的奧地利海軍軍官維普利克特（Karl Weyprecht）首度提出「國際南／北極科學研究合作計劃」而導致在太陽活動最不活躍的年份──1882／83及1932／33等2個「極地年（Polar Year）」舉辦了當時分別有12及47個國家參與對氣象、地磁、積冰和極光等之國際科學研究活動。

由於1950年4月美國的博克諾（Liyod Berkner）博士等人向「國際科學聯盟委員會（ICSU）」(*1) 提出而有了提早舉辦的第三個極地年──自1957年6月到次年12月的「1957／58國際地球物理年（IGY）」，它是個對地球及宇宙環境之國際科學研究活動。當時共有67個國家，超過1萬個科學家參與，其中阿根廷、澳洲、比利時、智利、法國、日本、紐西蘭、挪威、南非、英國、美國及當時的蘇聯等12個國家更在南極設立研究基地進行包括當時極強烈的太陽黑仔活動、南極大陸地理製圖及其他各種地球科學研究，該項活動尤其促成了火箭的發射及人類登陸月球的成功。

各國研究南極科學的理由

一般說來，在南極進行科學研究活動是昂貴的。一則因它地處偏遠，人員與設備之運輸補給便已所費不貲；再則是當地的特殊天候，使得安置適合人員起居及進行研究之環境也不便宜；最後是一年當中可從事室外研究工作的時間只有數個月，使得相對研究成本更形提高。但儘管如此，在前述的「國際地球物理年」結束之後，雖然該12個國家勉強達成將南極科學研究基地展延運作1年之共識，但包括原本反對的國家卻一路進行研究活動，至今未曾中斷，甚至曾先後撤退之日本、比利時與挪威均分別重返。

現今有從事南極科學研究的國家除了27個南極條約顧問國之外，還有烏克蘭、加拿大、墨西哥、愛沙尼亞、哥倫比亞、丹麥

與巴基斯坦等共34國,其中巴基斯坦為非南極條約簽約國,而芬蘭、荷蘭、墨西哥、愛沙尼亞、哥倫比亞、丹麥、比利時與加拿大等雖無研究基地但與他國進行研究合作。

各國積極從事南極科學研究的理由大致如下:

1. 為了保護南極地區之自然與歷史特色並進而維護全球的氣候與生態系統之調節機制,從事如南極生態、環境污染、商業漁撈管制、及歷史遺跡之保存等之研究。

2. 南極地區的特殊條件有利於某些科學研究 (見第238頁)。

3. 為科學強國

a.某些研究有利於國民生命財產之保障,並進而攸關國土開發、產業及能源政策等國家發展利益。如對地震、海嘯、海洋及臭氧層破壞等,尤其是導致日益嚴重的自然災害而在近年來倍受關切的「地球溫室效應」之環境科學研究。

b.某些研究可能應用到產業上,如寒帶生物耐寒之研究在生理醫藥之應用、浮游生物如何對抗紫外線增強有利於化妝品研

製、氣象研究與農漁牧及建築之關係、太陽風對衛星通信之干擾 (曾導致歐洲太空計劃之阿利安火箭的爆炸) 與太空及通信科技之改良、以及研究基地之污水廢棄物處理、高效率的暖氣系統、環境評估技術、特殊土木工程、水中作業、造船、遙感技術及鑽探等新科技之研發。

c.對南冰洋經濟動物如南極蝦及魷魚之生態、捕撈及處理的研究有利 經濟民生。

4. 為南極地區之自然資源尤其如石油能源的潛在利益,請參見前一章之「南極條約現況」 您會發現:在1980年代南極條約顧問會議正在討論開放南極採礦時,有許多國家加入為簽約國或晉升為顧問國。

5. 政治策略

原本在南極大陸有主權宣示的國家,南極科學研究活動是一種強化其在該地區之政治存在的方式,有的更在其研究基地內設有學校、銀行及超市等設施並鼓勵其人民到那裡生育與居住而儼然似「移民聚落」,甚至整個基地即交由無武裝的軍事人員運作,如阿根廷及智利。再則,無

視於破壞生態環境遭受批評而執意在其基地建造飛機起降跑道如法國、智利和曾有福克蘭戰爭的阿根廷與英國等國除了為鞏固出入交通之外，也均有其政治考量。

另由於南極條約將「進行積極的南極科學研究」訂為進入其權利核心──「南極顧問國會議」的一個要件，加上該等研究的昂貴本質亦正提供了參與國際合作的空間，各國為了確保其在南極大陸與南極條約之二個國際政治舞台及其他相關之如全球環境高峰會議的發言權而競相參與南極科學研究。

從現今紐西蘭之「國家南極事務政策重點」可看出前述一些理由之端倪：

1.保存南極大陸與南冰洋之固有價值，以利國際社會及其之世代人民。

2.保持南極大陸為一中立與不結盟鄰居，而確保國家安全。

3.在南極條約之特色範圍內，增進該國之經濟機會。

4.增進該國在南極事務之支配領導地位，而達成世界之安定。

各國之南極科學研究活動選錄

《智利》

智利的南極研究活動始於1916年而為南極條約之原簽約國，續在1964年成立了其南極科學研究院，現今每年約有15個研究計劃。

其科學研究活動明顯地配合其在南極半島之領土主權宣稱，其現在該地區有4個全年運作及7個夏季基地，該國三軍直接介入運作甚至設有眷屬和相關生活設施，另配備有1艘破冰船──維爾（Oscar Veil）號。

《英國》

英國在1920年即成立了附屬於劍橋大學之「史考特極地研究所」，它為**世界最古老的南 /北極科學研究機構**。該國的「國家南極科學研究計劃」始於1925年，除了科學研究之外，策略性的政治目的即為其所考量，初期的研究工作主要是地理勘查、製圖和氣象研究。第二次世界大戰曾使其中斷過四年；戰後，其整個南極科學研究計劃事務被移交給就近的福克蘭群島殖民政府負責。而成立於1967年的「英國南

極研究院（BAS）」則總理其南極科學研究事宜至今。

英國是南極條約之原簽約國，現有三個全年運作之南極研究基地與總數約180個研究人員，另配屬有2艘驅冰研究／運輸船。

《紐西蘭》

紐西蘭自1957／58年國際地球物理年成立了研究基地後便積極參與南極科學研究，並為南極條約之原簽約國。在1980年代後期最高峰時，每年夏季該國曾有超過100位科學家及幾乎同等數目之後勤人員南下其基地。

由於地緣關係，其南島的基督城一直是南極活動之跳板，現在更發展成為美國、義大利與紐西蘭之南極科學研究的聯合前進基地。在該市有一個國際南極中心，包括地主國的「國立紐西蘭南極學院（NZAI）」總部之三國的南極事物機構辦公室均在其內。另有國際南極資料及研究中心（ICAIR）和後勤支援中心，後者配合附近的機場及港口設施以從事對其位於羅斯海域及南極點之研究基地作交通運輸與補給

國際南極中心（作者）

211

作業。

現今紐國每年約有30個研究計劃，它們由各大學及國立和私人科學研究機構共同負責並有國際合作。其維多利亞大學內即有一南極研究中心，自1957年該國在設立南極研究基地以來，該校每年夏季均有師生前往作實地科學研究，現今其每年約有三到四個研究計劃。

紐西蘭南極科學研究院　標緻（作者）

美國海軍在基督城的南極後勤支援單位（作者）

紐西蘭南極學院也負責招訓員工，通常在每年2月份招募其研究基地之新任夏季契約工作人員，如廚師、木工、電工、機械工和野外活動教練等。在8月份施予集訓，包括野外安全活動技巧、急救、消防救火及通信等。後在每年的10月初即被空運到基地，再作2天之實地野外訓練包括挖掘冰窖並在其中過夜以適應寒冷，然後準備與過多人員作任務交接，後者則約在10月底撤離。

紐國已在1997年1月於其研究基地作40週年慶，包括其總理、當

年曾參與建造的探險家奚洛理以及美國駐紐大使均曾到現場出席。

《美國》

美國在1939年即成立了南極事務機構，而美國南極科學研究計劃（USAP）則始於1955年成立至今之國立科學基金會（NSF），主理在海軍部門及海岸防衛隊之艦艇、航空器與人員的支援並配合民間包商之下展開，其任務名稱一直沿用為「冷凍行動」。到了1970年代，前述機構進一步負責總攬所有該國之南極相關事務。在1995 / 96夏季，它曾動用136個大學與其他機構總數650位之科學家從事約125個的研究計

美國南極科學研究計劃　標緻（作者）

劃。

美國為南極條約之原簽約國，今日其有3個全年運作基地並配屬2艘破冰研究船——帕碼（Nathanil B. Palmer）號及哥得（Laurence M. Gould）號，另有其海岸防衛隊支援的2艘大型破冰運輸 / 研究船——極星號（Polar Star）（見第249頁）或極海號（Polar Sea）及租用的船隻作運補。

《俄羅斯》

俄羅斯在1992年8月繼承原蘇聯自1956年開始之南極科學研究計劃與基地，並為南極條約之原簽約國。近年來因經濟困境使其被迫關閉一些研究基地，惟仍透過國際合作運補以節省經費而艱困地維持現有五個各位於策略性地點之基地的運作。其研究計劃由十八個研究所分別進行，參與之研究人員約達300人。

俄國之南 / 北極地研究所擁有2艘驅冰研究 / 運輸船以支援其南極研究活動。

帕碼號（作者）

《日本》

　　日本的南極科學研究活動始於1957／58國際地球物理年，後來並成為南極條約之原簽約國，但其在1962年2月將研究站關閉。1965年，該國重新建造破冰船且恢復其南極科學研究。1973年，其國立極地研究所（NIPR）成立，而對南極光、高空大氣、天文、海洋、醫學、礦物、地質、全球環境及氣候變化等均涉入積極的研究，另與紐、美及中國等有國際研究合作與交換。自1988年起，其大學研究院內設有南極研究之博士學位課程。

　　其國家南極研究計劃係以每五年為1期。

　　日本現有三個全年運作基地及一個自動資料蒐集站，並配屬1艘由其國家防衛隊所操作的破冰研究／運輸船──白瀨（Shirase）號。

韓國南極科學研究計劃標緻（作者）

《南非》

　　南非的南極研究活動始於1957～58年之國際地球物理年而為南極條約之原簽約國，其第一個研究基地係於1959年12月自挪威接手。現今其研究計劃為每五年1期且與英、美及紐西蘭等有國際合作，重點目標為：增進對南極大陸與南冰洋之自然環境與生命的了解並確保該國參與對其國家利益有關之事務的政策制定。

　　非國現有三個研究基地並配備有一艘5353噸的驅冰研究／運輸船──阿古哈斯號（Agulhas），它具有5000公尺深的聲納探測器、3個研究室、130位人員之裝載量並配備2架航程970公里之標馬（Puma－J）大型直昇機（見第251頁）、每部可搭載20人或12噸貨物。

《南韓》

　　南韓早在1985年即參與南極活動─登上文生山，其南極科學研究活動則始於1987年之南極蝦

各國的南極科學研究活動

漁撈與海洋學研究。同年7／8月分別成立了其極地研究中心（KPRC）及國家南極研究委員會（KONCAR）以綜理其南極事務。

該國在1986年11月簽署南極條約而成為第33個簽約國，續在1989年10月成為顧問國，曾在1988及1990年主辦2次國際南極研究學術研討會。南韓現有一研究基地並配屬有1艘海洋研究船。

國家南極活動特例

這裡搜錄四個特例或可作為我國之借鏡：

《比利時》

雖為內陸國家的比利時卻極早且積極地參與南極探險活動，而為南極條約之原簽約國。其在1957／58國際地球物理年曾建立1研究基地，但運作到1961年中止，1964／67年間重建基地並與荷蘭合作，1968／71年間使用南非基地。1985年起又恢復至今未停，現在與澳、德、日、法及英國等合作使用其研究設施。其研究計劃係以三年為1期，重點為：南冰洋之生態動力學和其與天候之互動關係、海洋生態系統之演進與保護以及南極在全球環境變化之角色。

《挪威》

挪威的南極科學研究始於1920年代以配合其活躍的捕鯨活動，其為南極條約之原簽約國，但在1960年到1970年代間只有零星地以參加他國的方式之研究活動。1976／77年，挪威極地研究所成立後才積極地回復研究並在1989年後設立了二個小型研究基地。

自1990／91年起，該國與瑞典及無設置基地的芬蘭聯合作業以節省經費，海洋學、海洋生物、海洋地質、冰河、鳥類、環境及廢物處理等為其著重的研究領域。

NORWAY IN THE ANTARCTIC

挪威的南極科學研究機構之出版品

215

《荷蘭》

　　荷蘭早是個海洋活動力旺盛的國家，惟自17世紀中葉其塔斯瑪船長的海上探險之後即異樣地未續有南極探險活動，直到1960年代中期才與比利時合作從事南極科學研究。近年來由於對世界環境問題（如溫室效應海水位增高）之關切，她自1990／91年起租用波蘭之基地而積極地從事南極活動，並為「**第一個本身無研究基地而晉昇為南極條約顧問國者**」。

《加拿大》

　　加拿大雖然早在本世紀初即有探險隊到南極過多，但隨後只有零星的活動。她在1988年4月方簽署南極條約，續在1991年成立極地委員會(CPC)以負責其南極科學研究，至今只由各學術或私人機構的研究人員參與國際研究活動，其國家南極研究計劃（CARP）已在構築中。

　　加國在其他南極事務方面，如將馬德理環境協義書列入國內法及相關環保與科技研究等卻不落人之後，使得其私人產業部門具備相當能力得以提供南極地區之旅遊、運補承包及環保工程顧問等商業服務而成為少數能自南極賺取外匯的國家。

克華倫島上之象豹與法國基地（陳鎮東／中山大學）

我國參與的南極科學研究

由於沒有專責之南極科學研究機構，我國至今只參與極有限的南極科學研究活動。已知爲前一章所述，在1976／85間，台灣水產試驗所主辦之4航次的南冰洋漁業科學研究及創辦中山大學海洋地質及化學研究所、曾任海洋科學院院長的陳鎮東教授所參與國外的3次研究活動。他在1981年10／11月間自美國以**第一位台灣科學家的身份參與一蘇聯的南極科學研究探險**，曾南達史考提亞海與威斗海附近從事海洋學調查。另在1984年返國後又立即參與至86年間的2個法國的研究活動，曾至位於南印度洋方位的屬地 Possession 島及科羅塞（Crozet）和克華倫（Kerguelen）（見第109頁）等島上的科學研究基地工作。

附註

（＊）國際科學聯盟委員會 ：在1935年成立於巴黎，目標爲自然科學之國際合作。其有71個國家、95個多學科研究團體及25個單學科研究聯盟等會員，每年舉行數百個科學會議與出版等。

陳教授於屬地島（陳鎮東／中山大學）

阿蒙生・史考特研究基地（Antarctica New Zealand）

南極的科學研究基地 15

英國、阿根廷及智利是最早勤於設立南極科學研究基地的國家。阿根廷有已成立95週年、歷史最悠久的研究基地，而不少基地也都已有幾十週年的歷史。

早期南極科學研究基地的設立

1903年，蘇格蘭人首先於南奧克尼群島設立氣象觀測站後轉交給阿根廷(見第140頁)，而被發展為「澳卡達斯研究站」，這是**第一個且為未曾間斷運作的南極科學研究基地。**

1905年，英國在南喬治亞群島設立1個氣象站。

1911年，澳洲在其碼奎麗島設立了1個研究站為今日者之前身。

1940年代，英國、阿根廷及智利等分別在南極半島附近地區設立數個研究基地，包括在第二次世界大戰期間曾監視德國海軍在南大西洋活動的英國洛克萊港(Port Lockray)基地(*1)。其中有因自然災變或其他因素關閉，有的則仍在運作。

1940年代後期到1950年代中期，南非與法國亦相繼在其亞南極群島設立基地，它們至今仍在運作。

1954年，澳洲於東南極大陸海岸設立了墨生研究站，這是**南極圈內第一個並且一直運作至今的基地。**

在參與1957／58國際地球物理年活動的國家中，有十二個在當時分別於南極大陸及亞南極島嶼共設立了四十七及二十個科學研究基地，現今除了阿根廷有運作長達95年的研究基地之外，英國、澳洲、紐西蘭、美國、智利、南非、法國及俄羅斯等都有連續運作超過40年的南極科學研究基地。

今日南極科學研究基地簡介

由於南極大陸的室外科學研究工作均在夏季進行，因此研究基地可大致分為三種：一是全年運作的，一是只有夏季才運作的，另一為無人自動觀測站。其絕大部份均建造在海岸地區，而南極半島之西海岸及北端附近是密度最高之處，尤其南雪特蘭群島之喬治王(King George)島上便有九個包括波蘭、烏拉圭、俄

南極的科學研究基地

羅斯、巴西、中國、阿根廷、南韓以及智利等國的全年運作基地，另有美國、德國、祕魯及厄瓜多爾等四國之夏日基地。惟現今在羅絲島與南極半島之間的西南極大陸地區則沒有終年運作的研究基地。而在東南極大陸中部內陸之南極高原上，現有分屬美國、俄羅斯與日本的三個基地

(*2)。

　　南極研究基地的建築及維護面臨二項難題：一是強風漂雪的累積會逐漸將其掩埋，二是選定建造之處未必有堅實的岩層，而如果建在冰帽之上可能導致其移位並因其散發熱能而逐漸下陷。由於極為乾燥加上水之缺乏，使得用火安全成為極重要之考量，

南極的聖誕老人（Antarctica New Zealand）

汎達湖游泳俱樂部（Antarctica New Zealand）

建築物也常因而分散而建,免得一旦失火央及所有,並常有鮮豔的色彩以利於辨認。另外每滴淡水均來自消耗昂貴的能源,經融雪、海水淡化、淨化並保溫而極為珍貴。而其需要大量消耗的電力主要來自柴油發電,有的設有風力發電設備以減少二氧化碳排放。許多基地都有水耕蔬果栽培以補不足,惟花卉則在環境議定書禁止之列。

基地內人員之娛樂活動包括使用粉紅色球之南極冰上高爾夫等各種球類、跑步、舞蹈、滑雪及單車等運動另有蒸氣浴、書報(有的在當地出版)閱讀、音樂戲劇表演、電視和影片欣賞等。

基地的補給與運作常由各國之軍事部門支援或與包商合作,這提供了前者極佳的任務操練機會。海岸地區常賴驅/破冰船之支援,而內陸基地需藉空運或重機械拖拉雪橇以轉運補給。

現今於夏季時,約有總數5000到8000位左右各國的科學研究及相關人員在南極地區活動。在冬季時,則約有1200人留守並繼續室內可進行之研究工作。

全年運作之南極科學研究

基地輯錄

由於研究計劃或經費的改變而產生異動,現今各國全年運作的南極科學研究基地有48個,現以其第一個基地的啓用年代順序排列如下:(在每個基地前有一個代號,以便於在地圖上查對其位置,如無特別說明其人員數,表示為夏季人數/冬季人數)

【阿根廷】

共有六個,均位於南極半島地區:

(阿1)澳卡達斯(Orcadas)研究站:位於南奧克尼群島,啓用於1903年,是**南極地區歷史最悠久的研究基地**。

(阿2)朱邦尼(Jubany)研究站:位於喬治王島,始建於1946/47年。

(阿3)貝爾加諾二世(Belgarno II)研究站:位於威斗海域之可茲領地海岸,其前身啓用於1954/55年,1979年重建,人員數約為18。

(阿4)伊斯巴蘭咱(Esperanza)研究站:位於南極半島尖端,啓用於1953年,由其陸軍負責運作,有其眷屬居住並附設學校及禮拜堂,是第二個「南極人」之

南極的科學研究基地

需使用有色球的南極高爾夫（Antarctica New Zealand）

出生地。人員數約為50/42。

(阿5)馬蘭皮歐(Marambio)研究站：位於南極半島東北端之些蒙島，啟用於1969年，由其空軍負責運作，擁有1100公尺之硬質土石飛機跑道。鄰近有1902／03年瑞典的諾頓史爾德木屋（見第138頁）。人員數約為100/142。

(阿6)馬丁(San Martin)研究站：位於南極半島西岸中部。

其另有六個夏日運作之基地。

【智利】

共有四個，均位於南極半島地區：

(智1)普雷特(Arturo Prat)研究站：位於南雪特蘭群島之格林威治島，啟用於1947年2月，由其海軍負責運作。

(智2)歐新斯(Bernardo O'Higgins)研究站：位於南極半島尖端，啟用於1948年2月，由其陸軍負責運作，另有與德國共同運作之衛星站。

(智3)蒙沓爾瓦(Eduardo Frei Montalva)研究站：位於喬治王島，啟用於1969年3月，由其空軍負責運作，內住有約10個眷屬家庭並有教堂、學校、醫院、銀行和郵局，在1984年有其第1個嬰兒出世。人員數約為80/30。其附近另有一馬丁研究站(Teniente Rodolfo Marsh Martin)，有硬質土石飛機跑道。

(智4) 艾斯卡得洛 (Julio Escudero) 研究站：位於喬治王島，啟用於1995年2月，由其南極研究學院負責運作。

另有七個夏日基地。

【英國】

(英1) 哈利 (Halley) 研究站：位於威斗海域之可茲領地海岸，啟用於 1956年1月6日，是最早觀測臭氧層的研究站。過冬人員數約為17。

(英2) 鳥島 (Bird Island) 小研究站：位於喬治亞島之離島，啟用於1971年。過冬人員約為3。

(英3) 羅西拉 (Rothera) 研究站：位於南極半島西岸之阿德雷(Adelaide)島，啟用於1976年12月1日，有長900公尺的硬質土石飛機跑道。人員數約為100/115。

另有2個夏季研究站——西格尼與化石崖，分別位於亞南極之南奧克尼島及南極半島西岸。

【南非】

(斐1)馬麗安(Marion)研究站：位於其亞南極的愛德華王子群島之馬麗安島，啓用於1948年3月。人員數約爲50/17。

(斐2)南非第四研究站(SANAE IV)：位於東南極大陸之毛德女皇領地150公里內陸，爲繼原有3者因積雪覆蓋之新建基地，啓用於1997年1月。

(斐3)哥爾得(Gould)研究站：位於其亞南極的英屬哥島，在1956年5月接手，爲一氣象站。

【法國】

共有四個，前三者位於其亞南極群島：

(法1)維維斯基地(Martin-de-Vivies Base)：位於阿姆斯特丹島，啓用於1950年，過冬人員爲30人。

(法2)法蘭西斯基地(Port-aux-Francais Base)：位於克華倫群島，啓用於1951年，面積9000平方公尺，人員爲180/120人。

(法3)法麗基地(Alfred-Faure Base)：位於科羅塞島，啓用於1964年，過冬人員數爲35。

(法4)得弗里研究基地(

凱西研究站（Adventure Associates Pty.,Australia）

Dumont d'Urville Base）：位於東南極大陸之阿得里領地海岸，原啓用於1952年1月，後因焚毀重建，內有70棟建築物，人員數約爲80/30。附近有南磁點和墨生木屋（見第154頁）。

【澳洲】

共有四個，後三者位於東南極大陸：

（澳1)碼奎麗(Macquarie)研究站：位於碼奎麗島，成立於1911年12月，是**第一個與南極作無線電通訊之基地**，人員數爲40/20。

（澳2)墨生(Mawson)研究站：位於麥克羅伯遜領地海岸，啓用於1954年2月，爲其**第一個亦是南極圈內最古老的研究基地**，它有研究宇宙線之地下觀測室，人員數爲60。

（澳3)戴維斯(Davis)研究站：位於前者之東的伊莉沙白公主領地海岸，成立於1957年，曾於1965/69年間關閉，過冬人員數爲5。

（澳4)凱西(Cassey)研究站：位於威爾克斯領地海岸，在1959年2月接手自原啓用於1957年之美國的威克爾斯（Wilkes）研究站，1988年底於附近重建並更

名，人員數約爲70/18。

另有夏季運作研究站5處及自動偵測送訊站20多處。

【美國】

（美1)麥可墨得(McMurdo)研究站：位於羅絲島上，始建於1955年12月，是**最大的南極研究站**。詳見後述之南極科學研究基地選錄。

（美2)阿蒙生・史考特（Amundsen - Scott）研究站：位於南極點，啓用於1957年3月。詳見後述之南極科學研究基地選錄。

（美3)帕碼（Palmers）研究站：位於南極半島西岸之恩弗斯（Anvers）島，啓用於1965年2月，人員數約爲40/10。

另有其他夏日研究站。

【紐西蘭】

（紐）史考特研究基地（Scott Base）：位於羅斯島上，啓用於1957年1月20日。

另有一個小型之夏季野外研究站。

【俄羅斯】

共有五個，前四者位於東南極大陸：

（俄1）和平（Mirny）研究

南極的科學研究基地

站：位於威廉二世領地海岸，啓用於1956年2月。人員數約爲60/15。

(俄2) 東方（Vostok）研究站：位於極地高原上之地磁南極點附近，海拔約在3490公尺，啓用於1957年12月。人員數約爲27/10。

(俄3)墨洛得那亞(Molodezhnaya) 研究站：位於恩得比領地海岸，啓用於1963年1月，有雪上跑道可供洲際飛機起降，可容390人，爲其最大基地，但現有人員數約爲20/12。

(俄4) 諾瓦拉瑞夫斯克亞（Novolazarevskya）研究站：位於東南極之毛德女皇領地，啓用於1961年2月，人員數約爲25/5。

(俄5) 白令蘇山（Bellingshausen）研究站：位於喬治王島，啓用於1968年2月，人員數爲20/5。

另有二個夏季研究站均在東南極大陸——得魯那亞(Druzhnaya)及進步(Progress)。

【日本】

共有二個，均位於東南極大陸之毛德女皇領地，總人員數約爲40/16：

1960年代的東方研究站
（Antarctica New Zealand）

(日1)昭和(Syowa)研究站：位於東王格爾(East Ongul)島，啓用於1957年1月，其曾在1962～65年間關閉，現其室內樓板面積約有4840平方公尺。

(日2)富士圓頂(Dome Fuji)研究站：位於南極高原上，啓用於1995年12月。

另有夏日研究營數個及二個自動資料搜集站——水穗（Mizuho）及飛鳥（Asuka），亦位毛德女皇領地。

【德國】

227

主要建物在冰下的紐美亞研究站（陳瑞倫／理想旅運社）

（德）紐美亞（Georg Von Neumayer）研究站：位於毛德女皇領地海岸，原建於1981年，有風力發電及地下200公尺之新設施，曾有9位女性人員含過多而運作14個月。人員數約為60/10。

其另有夏日基地及研究處各一個。

【波蘭】

（波）阿克拓斯（Henryk Arctowski)研究站：位於喬治王島，啓用於1977年初。全年人員數約為15。

【巴西】

（巴）法拉茲（Comandante Ferraz)研究站：位於喬治王島，啓用於1984年，人員數約為25/15。

【烏拉圭】

（圭）阿帝哥斯(Artigas)研究站：啓用於1984年，位於喬治王島。

【中國】

(中1)長城研究站：位於喬治王島，啓用於1985年2月20日，人員數約為40/20。

(中2)中山研究站：位於東南極大陸，距澳洲之戴維斯研究站110公里，啓用於1989年2月26日，人員數約爲60/15。

【南韓】

(韓)世宗國王(King Jejong)研究站：位於喬治王島，啓用於1988年2月17日，內有9棟主要建築物。人員數約爲40/15。

【印度】

(印)碼特立(Maitri)研究站：位於毛德女皇領地，啓用於1989年，有風力發電，人員數約爲35/25。

另有過境營站1處。

【烏克蘭】

(烏)維那德司基(Vernadsky)研究站：位於南極半島西岸之佳玲茲（Galindez）島，在1996年2月接手(*3) 自原成立於1947年之英國的法拉代（Faraday）研究站。早期英國的法門博士即在該處進行大氣研究，發現臭氧層破洞（見第274頁），其另有該地區最長期、完整的海洋潮水位紀錄，是研究世界海水位及天候變化極珍貴的科學資料。

夏日運作之南極科學研究基地輯錄

金星研究站（Antarctica New Zealand）

有些國家只有夏日研究基地：

【義大利】

（義）金星基地（Terra Nova Station）：位於羅斯海西岸之金星海灣，啓用於1986／87年夏，人原數約爲70。自2000年起將改爲全年運作基地。

【西班牙】

有2個，均位於南極半島地區之雪特蘭群島，總人員數爲12：

（牙1）卡羅斯（Juan Calos）研究站：位於利文斯頓（Livingston）島，建於1987／88年。

（牙2）卡斯地拉（Gabriel de Castilla）研究站：位於夢幻島，建於1993／94年。

【瑞典】

有二個，均位於毛德女皇領地：

（瑞1）斯維亞（Svea）研究站：在威斗海東岸內陸400公里處，建於1987／88年。

（瑞2）瓦沙（Wasa）研究站：在前述基地附近，建於1988／89年，人員數約為15。

【挪威】

共有二個，均位於毛德女王領地：

（挪1）特羅野（Troll）研究站：位於海拔1270公尺之內陸220公里處，啟用於1990年2月，人員數約為10。

（挪2）特羅野外站（Tor）：位於前者附近，啟用於1993年，其專攻鳥類研究。

【厄瓜多爾】

站名不詳，始建於1987／88年，位於喬治王島，可能已無運作。

【芬蘭】

（芬）亞包（Aboa）研究站：臨近瑞典之瓦沙研究站，啟用於1988年。

【祕魯】

（祕）古山（Machu Picchu）研究站：啟用於1988／89年，位於喬治王島。（可能已無運作）

【保加利亞】

（保）聖奧克里得司基（St. Kliment Ochridski）：始建於1993／94年，位於南雪特蘭群島的利文斯頓（Livingston）島。

【巴基斯坦】

（坦）金納（Jinnah）研究站：位於東南極大陸之毛德女皇領地海岸，始建於1990／91年間。

南極科學研究基地選錄

這裡介紹三個當年響應1957／58國際地球物理年活動所建之歷史性的基地：

《美國 麥可墨得研究站》

本研究站臨麥可墨得峽灣底，為船隻可及之最南的地點。其面積約為4平方公里，有超過100個建築物，其人員數約為1000／1250，而為**最大的南極科學研究基地**，外號為「麥克城（MacTown）」。

負責美國南極研究計劃之國立科學基金會在那裡亦設有其南極總部。在夏季時節，除了科學研究活動外，它亦是國際人士拜訪及交流之繁忙的城鎮。那裡有建立於1956年之**南極大陸的第一間亦是地球上最南的禮拜堂**。另有販賣部出售紀念品，但不提供

南極的科學研究基地

麥可墨得研究站（Antarctica New Zealand）

郵政服務。城內有叫車之交通服務，其淡水供應能力每天可達6萬加崙，使用柴油發電。工作人員之最大餘興活動是飛往其南極點基地一遊。

　　該基附近有三個冰上飛機跑道，2處在羅斯冰棚，1處在鄰近峽灣之浮冰上，以供有或無滑屐的飛機在不同季節起降，與紐西蘭之基督城的後勤補給基地和南極點的阿蒙生·史考特基地作空中交通與補給之用。另還有港口在夏天時可停靠破冰船。在每年

的2月15日到10月25日爲其冬季，它將與外界隔絕而無海空交通往來。

　　其臨近有紐西蘭基地、史考特探索木屋（1902）、文生紀念十字架（見第234頁）及有史考特等人的紀念十字架之觀景嶺（Observation Hill）。

　　它在1995會計年度之總運作經費是一億一千萬美金。

《美國阿蒙生史考特研究站》

　　阿蒙生·史考特研究站位處海拔2835公尺與厚2850公尺的冰

冷凍行動之指揮部（作者）

只收美鈔的購物中心（作者）

地球上最南的教堂（作者）

帽上，離前述基地約有1350公里，其人員數約為130／28，是人類在地球上最南的「聚落」。它重建於1971／75年間，現址離南極點有350公尺，其每年有約10公尺之移位。該基地有一（約長約50公尺、高約16公尺）圓頂型建築物，它包覆著圖書館、餐廳、車庫及工作房等設施，其目的是免除經常除雪的麻煩及風暴發生時人員在建築物間來往之危險與迷失；另有地道系統以連結各設施。該基地已在翻修改建中，預計到2005年完工；一些原來的材料將被送回美國，除了作科學研究用材料，並將以之建造博物館。

因處高緯度、高海拔與終年的寒冷，當地空氣較為稀薄而其大氣壓與其他海拔3300至4000公尺之處相當。那裡的氣溫範圍是-14℃到－82℃，雖然年平均風速

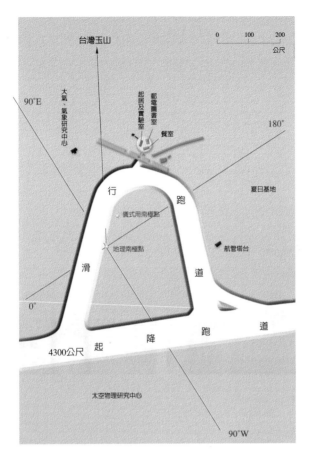

才約每小時20公里，其仍然可能有 - 100℃以下之風凍效應。南極點的夏日陽光則極爲強烈。

該基地完全依賴轉自麥可墨得研究站的空中補給，在每年2月15日到10月25日間則無任何空中交通往來。隆冬期間的餘興盛事爲：有男女會員的「300俱樂部」活動——在室外氣溫降到100℉ (- 73.3 ℃) 以下時，經蒸氣浴將全身加熱後，著簡單護身之衣物及鞋具快速衝到基地外體驗300 ℉之溫差，甚至到100公尺外之南極點跑一圈後「回鍋」。另外是在南極點外「環繞世界」約4.5公里的比賽，方式不拘，有

跑、走、划及駕機動雪橇。

將長達半年如無月光時極暗之長夜且空氣潔淨能見度絕佳及無光害的條件下,使其成為地球上研究天文學的特佳地方,因此基地內有一個離開主建物約800公尺距離以避免其光與熱害之「暗區 (Dark Sector)」設置天文觀測台。

該基地在1995會計年度之總運作經費是1660萬美金。

《紐西蘭 史考特基地》

該基地離墨可麥得研究站約有3公里,人員數約為30/10。現

有重建於1976年之八個現代建築物係以鋼板包覆聚氨酯膠為保溫材料並有走道相連結,並離地挑高以避積雪掩埋。其水源來自海水淡化,儲存在四個4萬公升的加熱保溫水槽中。有直撥公共電話可供訪客使用。

基地之補給係配合鄰近的美國和義大利基地,每年1～2月間由美國的破冰船將大量且重之補給品運入,人員及較輕物資則由紐西蘭之基督城空運,每年約有250航次。

該處冬天的最低溫是－57

文生紀念十字架與史考特研究基地(作者)

南極的科學研究基地

℃，夏天最高7℃，平均－20.2℃。每年4月底到8月底是其永夜期。

野外研究營(Field Camp)

許多科學研究工作需在野外進行，因此研究人員們需攜帶營帳、食物、油料、通信裝備、煤油爐具、工具、發電機、急救包及相關科學儀器等在陸空的交通支援下到選定的地點紮營。其營帳通常係雙層以增加保暖效果，有的則使用玻璃纖維以組造屋舍。另亦有專用營帳以利野外烹煮及進食。

作業守則規定外出人員需定時與基地保持聯絡，以掌握其工作地點與安危狀況，一旦聯絡中斷，搜索隊需立即出發。

附註

(*1) 洛克萊港研究站：因自然災變，已於1962年放棄，後被劃為古蹟並在1996年整修成博物館，並附有紀念品販賣與郵政服務，夏日時有專人駐守以開放給南極船遊之訪客。惟需事先申辦許可，且有每次10人之探訪人數限制。

(*2) 另一個位於4000公尺厚之冰帽上之義大利與法國共有的康可狄亞（Concordia）研究站，預計在2000年啓用。

(*3) 由於英國減縮研究經費，故決定減少其研究基地數目，而與其所費不貲的依法徹底清理永久棄置的基地不如轉移給需要的國家，脫離原蘇聯後正在尋求設立其基地的烏克蘭剛好雀屏中選。

鑽冰取樣（T.Higham／Antarctica New Zealand）

南極的科學研究簡介 16

南極地區是一個知識的寶庫，早期的探險家手持粗陋的海圖前來，今日無線追蹤設備、科學研究儀器及電腦等成為新〝探險者〞的工具。該地區之重要性的提昇在於南極科學研究對早期全球災難之預警扮演著決定性的角色。

「1957／58國際地球物理年」僅管時值第二次世界大戰結束後之冷戰期間，但在近18個月的活動中卻有極豐富的成果，包括高空大氣物理的研究、人造衛星的發射及海洋的調查等並導致在南極地區設立了永久性的科學研究基地而使其熱鬧起來。南極條約將南極大陸定位為「科學的大陸」，更揭開了南極科學研究之序幕，這使其在40年來於全球之科學研究領域中扮演了極為重要的角色並獲致相當的成果。

南極地區有從事下述科學研究的特殊價值：

a.它提供特有的研究題裁，如南極冷空氣、浮冰及南冰洋流與世界天候的互動關係、地磁、寒帶生物對冷的適應及其生態系統、高空大氣、冰帽、通信干擾、南極光及地質等之研究。

b.它比世界上任何其他地方有相對好的客觀環境以利於該項科學研究，如那裡有許多隕石及其絕佳的空氣透明度利於作天文觀察等。

c.它有其他地區所沒有的特別條件，利於探討一些因人類之不當文明活動而積累成全球性的自然環境問題並提出預警及對策——如對前述之正如一個大科學檔案櫃的南極冰帽（見第46頁）的深層鑽探分析與臭氧層耗蝕之研究等。

南極科學研究之特性

南極的科學研究有二大特性：一是研究成果提供國際科學資訊交流；二是許多研究計劃是跨國合作，如羅伯特岬（Robert）之六國地層鑽探研究（見本章後述）。

南極科學研究之內容簡介

南極的科學研究範圍依其發展不斷地擴充，從最早期的領域如製圖學、地質學、氣象學、動物生理學到高空大氣、天文學甚至研究人員的適應生理心理學與電視診病等，一個研究題材可能關聯數項科學領域，以下是其簡

南極的科學研究簡介

介：

《製圖》

在本世紀初航空器被使用來作空中攝影之後，人們對南極大陸的圖像才慢慢地有了概念。到了1972年「土地調查衛星（Landsat）」的發射致高空攝影的使用使南極大陸的製圖更上層樓，惟它仍不能有效地排除雲層的阻隔及分辨冰棚與海上浮冰的界線。直到1988年啓用「衛星數位雷達影像」科技可完全突破前述障礙而有利於精密製圖、計算面積及了解海岸線之變化。

《積冰及天候》

如前述南極冰帽像是個科學的檔案櫃，透過鑽探分析可以了解以前的氣候、大氣之組成、火山活動、積雪層、冰雪流動及人類活動等資訊。最深的鑽探曾達3300公尺、可追溯40幾萬年前之訊息，它尤其是研究世界天候變遷極重要的方式，其中已發現過去200年來大氣中二氧化碳及甲烷濃度有顯著的提高。

由於南極大陸的冰帽及冰棚之總體積的微小變化可能導致全球極大的災變，科學家想了解在冰雪的飄降累積及冰山的飄流融化之間到底使南極冰帽及冰棚之總體積變大還是變小。雷達及人造衛星數位影像技術可用來紀錄分析以了解其面積、厚度而製作出積冰地形圖、發現巨大冰山的形成、追蹤其流向以及冰河或冰棚之退縮，甚至追蹤其變化與溫室效應的關係等，因而提出預警。

科學家亦曾在菲爾克那及儂尼冰棚作熱水鑽探，並放置傳導性、溫度及深度偵測器到150公尺水深處以了解冰與海洋的交互關係。他們發現冰棚下有密度極高又冷的海水形成之「南極底層海水」，這暗示巨大的冰棚對世界洋流循環及氣候有相當的關係。

《地質》

由於南極大陸是原剛瓦納大陸塊的中心，使得它是研究原始地殼變化的好地方。對於南極半島地區之地質及南極縱貫山脈形成之研究有利於了解南太平洋複雜的陸地板塊活動歷史。

地質學家們對南極半島附近島嶼中含有極多苔蘚成分之特殊土壤作碳元素分析，發現它們有高達7000年之歷史。另在南極半

捕撈生物研究（K.Westerskov/Antarctica New Zealand）

島東岸之些磨島的某些岩層中發現一稀有元素——銥——有極高的成分，它可能支持一個理論：在白堊紀時代有一極巨大的隕石與地球碰撞，因而導致極大的天候變化與許多生物的滅絕。

這裡有一個「1996／97年羅伯特岬六國地層鑽探研究計劃」：

羅伯特岬位於墨可麥得峽灣之最南端，科學家認為其下地層中有過去3000萬到1億年之古冰河和地層裂縫活動之紀錄，而其深度約只有1500公尺為極有利的鑽探地點。

這個由澳、紐、德、義、英及美國的國際合作研究計劃在1997年10月開始進行，24小時輪班不停地分3處鑽探，預計鑽至海底下700公尺每個需時約20天，每3公尺即抽出冰柱。它們將被作年代、化石、沉積物分析，以了解世界海水位及天候變遷及南極縱貫山脈之形成等等資

訊。

《古生物》

　晚近科學家陸續在南極大陸發掘出古動植物化石 (見第34頁)，其對於生物進化之研究提供極寶貴的資訊，另外也提供我們了解南極地區天候之變化──如從雙貝類及菊石等海洋生物化石中的氧同位素含量分析知道其生長環境溫度約為11到16℃──以及強烈證明在陸塊飄移理論，中南極大陸與印度及南非洲大陸在過去之連結關係。

《陸上生態》

　有2個新領域：一是有關環保。由於日漸增加的人類活動所帶來的漏油污染機率增高，科學家希望了解在研究陸上微生物裂解油污之細菌的活動情形，什麼環境會限制其活動──溫度、酸鹼值及土石中的養分等，以及它們與其他地區（如北極）之類似微生物間的差異。另一個是因臭氧層破洞所造成較強烈的紫外線對南極地區生物，尤其對食物鏈底層之浮游生物及磷蝦等之影響研究。

《生物化學》

　南冰洋魚類體內之抗凍劑的詳細機制仍有待進一步研究，已知其比現有傳統的類似化學品有約達300倍的效能，因此預期其具有相當商業價值包括在食物防凍、醫學上之冷凍傷害防止及器官的冷凍保存等。美國的科學家已將2種該防凍劑透過脫氧核糖核酸（DNA）的重新結合科技到酵母與細菌體內，用無性繁殖基因及分子科技透過大規模發酵過程以大量製造。

《天文》

　由於全球性的空氣污染導致空氣透明度惡化與光害的愈趨嚴重，使得天文學家欲自地面作可見光的天文觀測愈來愈困難；即便搬遷到人口較稀疏地區之天文台因空氣中有過多的水氣仍未能稱心地作星體之觀測。南極大陸無光害、空氣乾燥、透明度絕佳，尤其低溫的南極冰帽只釋放極微小的紅外光，利於觀測那些發出不可見且經穿越廣闊之太空後極為微弱之紅外光的遙遠星體，使得那裡有「亞太空」的自然條件。另外在永夜期間沒有日出更可作連續觀星，再加上費用較使用人造衛星經濟得多等條件，使其成為地球上作天文研究

的一個絕佳地點。

義大利基地和南極點之美國基地都有紅外線天文望眼鏡，尤其後者還有極高感度，可測出不同地區間10萬分之1度的溫差，並可回顧150億年之距離與裝在冰下2400公尺之南極介子與微中美國加州柏克華大學AMANDA設計子感測器組（Antarctic Muon &NutrinoDetector Array,AMANDA)（圖見第245頁）以探尋來自外太空之高能微中子粒子在穿過地心而與南極積冰作用產生介子之宇宙形成的研究。澳洲基地有地面及冰層下數十公尺之感測站，用以對來自太陽系之外的宇宙線研究，與預測太空輻射風暴以保護人造衛星及太空人，並作為研究高空飛行人員尤其是經極地路線者，長期暴露於輻射之風險。

另至今在南極大陸已發現約有1萬顆隕石，有來自月球、火星及其他太陽系星球者，它們是了解該星系形成之良好媒介。

《氣象 / 天候》

AMANA研究之計畫標誌
（美國加州柏克華大學
D.M.LOWDWR博士）

南極大陸之廣大極冷的冰帽與季節性變化之南冰洋浮冰巨大地左右著南半球甚至全球的天候，尤其影響者人們的經濟活動。「世界氣象組織」（WMO）自始即統合將所有設於南極地區之氣象站每日收集的資料送到各相關國家，以助整體氣象預報系統。今日在南極地區有許多現代自動氣象站，透過國際合作的維護及運作，除了填補了先前的許多死角並提供更精密的預測效果。

長期的氣象觀測紀錄有助於了解全球天候變化的走向。如英國的原法拉代研究站，自1947年以來在南極半島之氣溫紀錄顯示那裡的年平均氣溫已上升2.5℃，這提供「全球暖化現象」之強力佐證。

另由於藍鯨常喜聚集在浮冰邊緣活動，澳洲的氣象學家從過去捕鯨船自1931到1987年間之航行日誌100多萬個捕鯨的經緯度紀錄中整理發現：浮冰範圍自1954年後縮小25%，直到1973年才穩定下來。這有助於了解全球

天候之變遷。

《礦物學》

　　由於礦脈深藏在冰帽之下，礦物學家還只在作尋找礦脈及其形成之科學研究。南極礦物學之研究資料仍極其有限，其中之開採技術、經濟價值以及對世界環境衝擊的評估等都還言之過早。

《大氣科學》

　　大氣科學是最有名的南極科學研究之一，它有4項重要研究項目：

1. 臭氧層耗蝕

　　自1985年，臭氧層耗蝕的現象被提出後（見第272頁），激起了世界各國對大氣科學的重視與研究，其形成之機制終被逐漸地解析。原來冬天的酷寒與長夜使得南極地區上空的大氣被強烈的西風形成內部溫度可降至零下80℃的氣旋，這使得它隔絕了與其他氣層間的聯繫並改變了其中來自四氯化碳的氯與其他氣體間之化學平衡。直到春天降臨，增加的能量促進了化學反應的進行—亦即被釋出的氯氣與其他化學物質開始破壞臭氧，直到夏天來臨氣溫再增高而停止。這便是南極

臭氧層破洞研究（T.Higham/Antarctica New Zealand）

上空的臭氧層為什麼在春天時最惡化以及南極地區利於作該項研究的原因。

南極的科學研究站使用分光光度計（Spectrophotometer）或柏陸耳（Brewer）相位儀以監視同溫層之臭氧濃度，或利用氣球內置氣象偵測儀器上升到20公里高的同溫層作直接探測，亦有用高空飛行、雷射雷達（Lidar）及人造衛星攝影以了解其變化之資料。

科學家發現四氯化碳並不是唯一元兇，但相關的詳細化學反應仍需進一步研究。

2. 地球溫室效應

人類的不當文明活動亦嚴重地造成溫室效應氣體之形成與消耗的平衡機制，因而造成了「全球暖化現象」。

遠離人口稠密地區之各種經濟活動的南極大陸，是監測大氣中「溫室氣體」濃度一個極為理想的地方，因為在那裡搜集的數據對於了解整個大氣中該氣體之濃度變化具有極佳的代表性。早在1956年起，美國便在其南極點之研究基地作大氣中二氧化碳濃度之監測，它是現今世界上最重要的科學監測活動之一。

3. 太陽風、南極光與無線電通訊、控制

離地70到數百萬公里以上的高空大氣層對科技及商業有其愈來愈重要性。

包括各種無線通訊與控制、無線視訊傳播及無線導航等均需依賴其中之電離層或人造衛星之折射轉播，而太陽風會減弱、中斷及干擾其效果，南極大陸的地理位置正適合該項研究。

日本、南非及英國即曾合作在其位於不同地點之三個研究基地設立涵蓋範圍互相重疊、有巨大天線且裝設困難並昂貴的雷達系統，以對南極大陸上空之大氣中的電離層作三度空間掃描和影相紀錄研究。

4. 低頻閃電雜訊

天空中雲對雲、雲對地間的靜電放電作用會產生9.3千赫之低頻雜訊，尤其在過去10年來，科學家發現其強度與發生頻率有逐漸變大、變密的現象且與地表增溫現象有關連。

《人類活動之衝擊》

該項研究包括對所有南極生態系統以及如地形、湖泊、地質

與冰的結構等南極自然物理特質和來自廢棄物、油污、廢氣、外來動植物與其他如全球暖化、紫外線增強等物理干擾與其所造成包括冰層融化、冰表面反射率的變化等等之了解，以謀求保護南極地區之特殊自然價值的對策。

《史蹟的維護》

史蹟維護亦是南極科學研究之一環，各相關之南極史蹟維護機構會定期與其國家南極研究計劃合作進行負責之史蹟的調查及維修工作。

一系列的活動，包括遺留物之鑑別、照相、電腦入檔，和例行性維護、損耗、環境變遷調查、評估保存計劃之實施情形，以及提供南極條約顧問會議以制定相關法規等。

《極地醫學》

由於所有的科學研究成果都植基於全體工作人員在極地生活的身心健康，工作人員本身對新的生活環境之的巨大差異（尤其在更高緯度之內陸基地），包括嚴酷的天候、陽光週期、單調、長期與外界隔離、較強的紫外線以及地磁等對生理節奏、內分泌、新陳代謝、免疫調節、神經行為、繁殖、丁種維生素製造及體溫調節等機制的影響均是其重要研究課題，除了用以構築一個健康安定的極地生活環境並可作為其他領域之應用。

另由於極地的特殊天候、交通不方便性及尤其對緊急事件的反應，使得「電視診病」(Telemedicine)的研究有其特殊需要。隨著通訊科技的進步，高解像度X光影像的傳送、現場影像立即聯繫、價格的降低及整個系統的建立均係努力的目標。

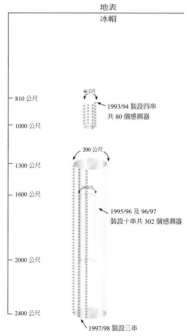

地表
冰帽

810 公尺
60 公尺
1993/94 裝設四串共 80 個感測器

1000 公尺

200 公尺
1300 公尺

1600 公尺
1995/96 及 96/97 裝設十串共 302 個感測器

2000 公尺

2400 公尺

1997/98 裝設三串

AMANDA 感應器組設置示意圖（作者）

245

極星號（C.Rudge/Antarctica New Zealand）

南極之交通工具 **17**

現代科技的運用已使得南極地區之陸海空交通全面機械化，因而突破了許多來往的障礙。

陸上交通

狗拉雪橇曾是南極地區極重要的陸上交通方式，惟馬德里環境協定書以狗可能傳染疾病給當地之哺乳類動物及攻擊企鵝或海豹，而自1994年4月起禁止其使用，但有人以爲這是個爭議性的決定。爲配合研讀搜錄之早期南極陸上探險故事本章仍將其列入介紹。現今南極地區之陸上交通已經機械化，冷車啟動是其最大考驗(*)，通常需通電以保溫。以下簡介三項南極的陸上交通工具：

1.狗拉雪橇

哈斯基狗（R.McBride/Antarctica New Zealand）

機動履帶車（瑞典Hagglunds公司）

南極的交通工具

哈斯基狗有極強壯的耐力尤其是特殊繁殖的品種每條可重約41公斤而可拖行45.5到68公斤荷重之雪橇，其爪掌完整地被覆著皮毛且底部有堅強的繭塊，足以適應低溫的雪地，惟其四肢需包覆以保暖並防止被厲冰割傷。在「夜晚」它們會將全身蜷曲躲入雪中，只露出鼻孔休息。視其體力及荷重等決定狗的使用數目，通常將最強壯及最大的狗放在最前頭。它們曾是人類在南極大陸的忠實好友。

雪橇的大小與材質需經特殊設計與製造，包括對穿越冰縫、冰浪及載重等考量，而在低溫條件下金屬並非理想的材料。

2. 機動雪橇 (Snowmobile)

機動雪橇係跨騎式，引擎排氣量約在640公升、重約320公斤左右，它取代狗拉雪橇成為輕便交通工具。

3. 機動履帶車

機動履帶車係重型雪上機械，它如火車頭可用來拖行數個總負載達百噸之大

雪橇作數千公里之長程越野行駛，有的還裝設有回音感測器以對冰縫區作偵測及預警。其中一極有名的是來自瑞典、配備6公升之柴油引擎的哈格蘭（Hagglunds）履帶車。

海上交通

1. 驅冰船 (Ice-strengthened Vessel)

它有加強的船底結構，可以在較鬆散的浮冰中航行，通常有自動抗擺系統以減低船身的搖晃，但其沒有破冰航行能力。

2. 破冰船

破冰船係突破海上浮冰的利器，其船體通常使用較大厚度、高張力、耐低溫之特殊鋼材配合加強內部船體結構所建造，其船頭和船底部分還有比一般船舶較圓弧的外形設計。它配備有先進的電子導航設備，甚至有直昇機可作航路偵察及其他作業。

其破冰原理是：在面對較薄的浮冰時，它配備的強大動力引

機動雪橇（Int'l Antarctic Centre,NZ）

249

擎能將其圓弧型的船頭推騎在浮冰之上，然後讓其本身的大噸位將浮冰「壓破」而使得船隻得以挺進無阻。當面對較硬厚的浮冰時，則需倒退、加速前進以「衝撞破冰」。惟破冰船仍儘可能避免破冰以結省燃料、損耗和減低航速，其較圓平的船底不利於橫越大洋。

美國的南、北極研究機構所使用之極星和極海號姊妹運輸研究船是「**世界最大的非核子動力破冰船**」，其簡介如下：

船長121.6公尺、13000公噸、最高航速18節、航程45500公里，其柴油及瓦斯鍋輪引擎可分別輸出18,000及7,5000馬力之動力，**係世界最強力的核子動力破冰船**。通常其可以3節航速不停地通過180公分厚的浮冰，而其最大衝撞破冰能力是640公分。其前端用以破冰之船首及船底使用厚達4.5公分之裝甲鋼板，其它船身部分則使用厚達3.175公分之鋼板。她們還分別有5個實驗室，可提供20到35人員作海上科學研究工作。

空中交通

有翼飛機通常配備滑屐以利在冰上起降，且在上下人員貨物之際其引擎保持繼續運轉以免有無法重新啓動之慮。

1. 輕型飛機

如加拿大製的雙獺式（Twin Otter），其滿載航程約200公里、載重1045公斤。另有德製喜申那（Cessena）、等。

2. 長程運輸機

如美製大力士（Hercules）、銀河式（Galaxy）、星力士型（Starlifter）及俄製伊留申及安脫洛夫等運輸機，其中大力士之C-130機是多年來多國採用者，其可載重約12200公斤從基督城到墨可麥得基地來回不用中途加油。另銀河式C-5型之運載量更達75000公斤。

3. 直升機

如航程350公里的美製西考司基（Sikorsky）之S-76型運輸直升機，另有航程更遠的法製標馬式（Puma）。它們極為重要，尤其當船隻因浮冰阻隔而無法靠岸時，可將補給品飛越浮冰。

南極的交通工具

備註

　　(*) 1968／69年日本橫越極地高原之探險活動中（選錄第46）曾將車輛漆成黑色以吸收陽光熱能，這使得雖然在永晝太陽仍極斜射並在無風及「午夜時間」之下，當室外氣溫為33℃時，車輛之表面與駕駛室內壁溫度竟分別可達53℃及32℃。另配合絕緣材料的使用及每「晚」收班時將車輛前頭朝東南東的方向停車的策略使得裝設在車輛右側的電池可以保溫而易於在次日發動引擎。

雙獺式飛機（Alpine Ascents Int'l,USA）

大力士運輸機
（N.Holves,Antarctica New Zealand）

標馬式直升機（Y.Mortion/Antarctica New）

乘橡皮艇登陸（Adveture Associates Pty., Australia）

南極的旅遊 *18*

南極旅遊是個十足的知性之旅而不是渡假，它所探訪的是「世界公園」保護區，主辦者及旅客均被要求遵守相關法規。

如第一章所述「南極大陸是一個在各方面潛藏巨力的陸地，一旦受了它的影響您將無法抗拒」；南極地區有特殊的自然景觀包括山巒、冰帽、冰山、冰河、冰棚及豐富優美的野生動物等，尤其它的遙遠不易及和特殊嚴酷的自然條件，加上其蘊藏豐富的科學知識和充滿可歌可泣之探險事蹟，使南極旅遊具有「新鮮、豪邁及英雄」的特質。

南極旅遊的人數在過去數十年來明顯地成長；在1980／81年時總數才約有不到2000人，1995／96年已上升到9000人，而1997／98年光是南極船遊便首度達到10000人，其主要來源是美、英、德國和澳洲。

南極旅遊的特點

1. 它所探訪的地區已被南極條約劃爲「世界公園」，主辦公司及旅客均被要求遵守相關法規。

2. 它非「渡假」，而是一種「知性（Education-Focused）」之旅、一種「探險活動（Expedition）(*1)」。隨行專人會是自然／歷史學家甚或政府監督官員，行程中有各種相關講座及影片介紹。

3. 它是個「季節性」的旅遊，通常在每年11月底到次年3月初間的南極夏日舉辦，且通常在1年前便上市（尤其是船遊）。

4. 它需事先定位，無法隨興可參加。

南極飛行（作者）

南極的旅遊

5. 所能抵及的緯度或難度愈高，成就愈大。

南極飛行(Antarctic Over Flight)

1956年，智利首先開辦探訪南極半島之南極飛行旅遊。而自1977年，紐西蘭及澳洲曾有大型客機飛越羅絲島附近地區的「南極不著陸飛行」旅遊。但在1979年9月南極顧問國會議才剛討論對其安全運作的關切，一架紐西蘭航空的DC - 10大客機即於11月28日撞及愛樂伯斯火山而造成全體257名人員之罹難——那南極旅遊史上有名的「愛樂伯斯山空難」——因而匆忙叫停。惟在1983到1993年間，智利仍將觀光客飛入並住在其喬治王島上之基地。

1994年11月，一家澳洲旅遊公司包租波音747巨無霸豪華客機恢復了前述之飛行旅遊。筆者曾組了一個為數4個人的蓮芳特殊旅遊之「第一個台灣團」在1996年12月1日自聯邦海灣之南

墨爾本／南極來回的登機證（作者）

磁點及法國基地附近切入內陸而自羅絲島附近出海折返，其里程約11500公里、來回12個半小時。

南極船遊或破冰之旅（Antarctic Cruising Expedition）

南極船遊始於1958年，阿根廷首先使用觀光船每次載運100名旅客以探訪南極半島地區且自此便不曾中斷，美國公司則在1968年1／2月間開辦了第一個探訪羅斯海域地區的船遊。首訪遠端（The Far Side）地區(*2)的則在1992／93年。

《南極船游之本質》

1. 絕大多數的團均定位為前述的「自然知性之旅」，團體規模較小，船上沒有商業性之娛樂活動安排。它需適當的健康狀況與體力。

2. 「登陸參觀」是它的重點，且每一次愈有足夠的時間在岸上以觀賞野生動物、探訪史蹟及科學研究站等，並能得到愈充分的現場解說即愈完美，惟費用自然就愈高。

惟一的旅遊用破冰船（Adveture Associates Pty.,Australia）

南極的旅遊

3. 現場受天候、法規或安全的影響，排定的行程僅供參考。通常每天晚飯後會發行次日之活動通報，船長對航線及行程有最高決定權。

《使用之船舶》

沒有一種船隻能讓旅客「完美舒適地」橫越寬闊洶湧的南冰洋，又能盡量接近南極大陸海岸以利登陸，尤其是探訪高緯度地區。能稍較「舒適地」橫越南冰洋的可能(＊3)是噸位較大的船隻，但其載客量也跟著增多，每個人能在岸上停留參觀（尤其是人數管制的史蹟及研究站）的機會很可能相對地減少。

今日使用於南極船遊之船舶約有15艘，其中惟有一艘是破冰船，其他均屬驅冰船。前者適合探訪高緯度地區或作如半環繞及全環繞南極大陸之長程破冰近海航遊，儘管其噸位較大惟其較圓平的船底則不利於橫越無冰的大洋，其載客量約在115人左右。後者使用在較低緯度及浮冰鬆散的海面地區，如大部份的團所探訪之南極半島或亞南極群島，它們比破冰船利於越洋航行。其主要來自俄羅斯的研究船所改裝或

客輪，它的操控人員都有良好的極地航行經驗，載客量從36到96人左右。另有少數較豪華的驅冰郵輪，載客量約從120到150人左右，再上去的便是280人及最大的約450到550人；後者便是惟一採用有商業娛樂活動之超級郵輪——馬可波羅號。

船上通常有圖書室、販賣處、視聽室以及三溫暖等。另船橋（駕駛室）有良好的視界、海圖及各種航行儀表，尤其自電子經緯儀可得知所處的準確位置，它通常係24小時開放。

船上通常有空氣調節，而不虞寒冷；但有的可能沒有電話及傳真設備。

《登陸工具》

有一種英文叫 Zodiac或Naiad之鋁製船身且兩舷包覆充氣橡皮筒的登陸艇是其主要登陸工具，它以船外引擎作動力，可載運10到14人左右。其經濟安全且低噪音不致驚擾野生動物，缺點是：無法通過覆蓋稍厚之浮冰的海面。

有一套「登陸安全操作規範」，包括由工作人員先探勘適當的登陸地點並將數個「緊急救生袋」

(*4) 送上岸、翻轉「人員上下船管制牌」(*5)、限制每位工作人員所照顧之旅客數以及至少需有3艘登陸艇下水以備緊急支援等等。

前述的破冰船上配備有2部載客量約8人的直昇機，可探訪內陸或登陸艇無法接近的海岸地區。它可作空中鳥瞰，缺點是噪音大而不得著陸至野生動物棲息地。極少數騙冰船上配備有航路偵測用之專用直昇機。

《探訪之地區》

1. 南極半島地區

由於地理因素，它一直是**人類探訪最頻繁之地區**。除豐富的史蹟──最早發現南極大陸（無紀錄）和最早設立研究基地等，還有豐富的野生動物與密集的科學研究基地，使其為南極船遊探訪的主要地區。通常訪問其北端之西海岸及南雪特蘭群島而沒有進入南極圈，日數在7天到12天左右。如加上附近極富自然及歷史特色的南喬治亞、南奧克尼及福克蘭等島嶼便構成完整的行程，總天數約為21到25天。

阿根廷之鳥蘇亞（Ushuaia）、智利之彭它阿雷那（Punta

常探訪的拉米爾（Lemaire）海峽（Adveture Associates Pty., Australia）

探訪企鵝棲息地（Adveture Associates Pty., Australia）

即便鐵殼船仍不易及的墨可麥得峽灣（作者）

Arena ）或福克蘭群島之史丹萊（Stanley ）是其上下船港埠。採訪該區之「**第一個台灣團**」係於1994／95由葉勇雄率領之理想旅運社的15人團體，而1995／96年間，該公司則由蘇三仁率領21位旅客開啓了融合渡假與知性的馬可波羅之旅。

2. 羅斯海域

該地區是近百年來進入南極大陸的重要門戶，其特點爲：

a. 它有南極大陸最有名的陸標——愛樂伯斯火山（見第37頁）。

b. 它有早期探險之四個主要古屋，其中「史考特木屋(1911)」爲南極大陸僅存最大者（見第148頁）。

c. 它有人類在南極大陸的第一個登陸點——阿達里岬，那裡並有第一批人類在南極大陸過多的古屋（見第133頁）。

d. 它是第一個抵達南極點者進出之處（見第146頁）。

e. 附近之乾峽谷爲有名的無冰地區（見第36頁）。

f. 附近有羅斯大冰棚。

g. 有最大的科學研究基地——麥可墨得研究站（見第230頁）。

第1個台灣團攝於阿達里岬前（作者）

購予麥克墨得研究站之Ｔ恤
（D.Harrowfield/Antarctica New Zealand）

探訪該地區需越過南極圈，惟有破冰船方能保證突破浮冰抵達最高緯度──約77°50'S到麥可墨得峽灣之盡頭。每年1月，美國的破冰船會抵達那裡以補給其基地而在該峽灣留下「航道」。假如該季天候不差，它不會很快結凍消失，驅冰船可順道而入。惟在天候不佳的年份，性能不對的船舶便完全上不了岸。

如配備有載客直升機，即可以探訪有名的羅絲冰棚及內陸之乾峽谷地帶（見第32頁），而可抵達更高的緯度。

該地區之野生動物種類不若南極半島多，但通常行程都包括附近富有野生動物之紐、澳的亞南極群島，有的還包括歷史及自然性的聯邦海灣地區 (見第64頁)。其日數在21到26天左右，而由於需橫越寬廣的南冰洋旅程較辛苦，但抵達之緯度較高成就較大，惟其每季的團數極有限。

紐西蘭南島基督城郊之麗投頓 (Lyttelton)、該島最南端的布拉夫 (Bluff) 及澳洲之荷巴 (Hobart)是其上下船的港口。筆者在1996年2／3月間自紐西蘭所組為數共11人的蓮芳特殊旅遊團，是探訪該區之「**第一個台灣團**」，它包括3位學生，其中10歲的陳一銘應是南極最年輕的旅者。

3. 遠端地區

面向印度洋、南非大陸甚至澳洲之東南極大陸海岸是難得探訪的地區，其間有數個研究基地、冰棚、特殊地帽和大冰河等自然景觀，其野生動物種類不若南極半島多，但它有大量的皇帝企鵝與南極燕鷗等。行程通常也包括其附近富有野生動物之亞南極島嶼，日數約在33天。

它以澳洲西部的福利曼投 (Frementle) 和南非的伊莉沙白 (Elizabeth) 為其上下船港口。

其每季的團數極有限，另有極少數的團探訪一個以上地區：

1. 半環繞南極大陸

它涵蓋前述南極半島及羅斯海域之部分地區，通常以南美阿根廷和紐、澳作為啓訖點。其天數約在24到28天。

2. 全環繞南極大陸

有史以來惟一一次是在1996年11月24日自福克蘭群島的史丹來港乘破冰船出發，東行環航南極大陸一圈而在次年1月27日回到原地。其為時65天，進出南極圈8次，探訪16個研究站及20個史蹟並曾經過117×81公里（約台灣的1／4）之大冰山，是個歷史性的南極船遊。我國有理想旅運社以陳瑞倫為領隊，包括林瑞

有名的阿達里岬之理萊海灘
（Adveture Associates Pty., Australia）

福、王廖瑞謹與謝界平、林美云夫婦等5人團體參加。

南極大自然探險旅遊

　　1966年12月17日，美國登山協會首度登上南極大陸最高峰的文生山，攀登世界七大陸地之最高峰逐漸成為登山愛好者的共同目標。1985年底起，有特殊旅遊公司開始以小飛機載人到南極大陸作登山、滑雪、攝影、野營及探訪南極點等的南極大自然探險旅遊（Antarctic Natural Adventure Tourism）。攀登文生山群（見第35頁）也自然成為其一個服務項目，至今已約有400人登上過文生山，而亦有人登上4667公尺的錫恩山。1988年1月21日，第一個旅客被成功地送抵南極點。次年1月17日，第一位現代私人探險者也在其協助下滑雪約1130公里而抵達了南極點。

南極旅遊與南極保護

　　為了將南極旅遊的成長所帶來對南極世界公園的環境衝擊的

文生山（美國Alpine Ascents Int'l）

南極的旅遊

錫恩山（美國Alpine Ascents Int'l）

負面影響減到最低，馬德里環協議書要求旅遊主辦者及遊客：

1. 尊重野生動物及保護地區。
2. 不打擾科學研究之基地、設施及活動。
3. 遵守人員安全及環境保護規定。

在實際作業上：

1. 各旅遊主辦公司需事先提出詳細計劃，包括運作人員之資格、交通工具、載客數、登陸地點（如有）、廢棄物處理、導航與天候資訊之取得、緊急救援以及「環境衝擊評估」等交付審核。

2. 機船上可能有官方人員隨行負責教育及監督主辦者與遊客，或打開某些歷史建築以供參觀並管制人數，事後並向其所屬機關提出報告。

3. 每20到25位旅客需配屬一位合格的自然、歷史學家，且至少75％的工作人員需有先前經驗。

4. 船遊的每一登陸點有每次最多100人的上岸人數限制，航空器也有最低飛行高度之規定，另限制探訪史蹟與研究基地（包括各亞南極群島）的人數。

5. 避免安排探訪新的地區。

旅遊公司都會提供詳細之資料以要求遊客配合及遵守：

1. 不得搜取任何地質、生物標本及歷史文物等。
2. 不得留下任何廢棄物。

3. 對野生動物保持特定的距離(*6)，不得觸摸、環繞包圍及餵食。

4. 隨時注意四周環境，不得侵入動物巢穴、棲息處及踩踏植被。

5. 不得觸動任何研究設施。

6. 不得攜入外來之動植物及泥土在每次登陸前後需清洗鞋具，以杜絕植物 種子之傳播。

7. 各古屋之探訪規定：進入前需清理鞋具、每次進入之人數限制約在4到10人、禁煙及不得觸動踩踏遺物等，有的還限制每次登岸人數，如蒙生及史考特（1911）木屋分別為20及40人。

其罰則視各公司所屬之國家的南極保護之相關法令，每件通常不少於1萬元美金（紐西蘭已提高為2萬元紐幣）罰款甚或1年牢獄。

南極船遊之一般注意事項

1. 需要有心理準備：任何船隻航行於南冰洋都會有某種程度的搖擺（通常是左右搖擺）。

2. 為了自身亦免屆時影響他人遊興，需確任自己的健康及體力無虞。

3. 通常使用的船舶都無大載客量，故船艙不分在內在外。在有景物可觀賞時，船已在近海平順航行，甲板及視線良好的船橋是理想的去處。船艙通常只作為休息的地方，位於愈低、愈「內」的，愈不搖晃也愈經濟，另中後段比前段平穩。

4. 旅費可能含有一附兜帽的禦寒大衣，而由於通常要作涉水登陸，因此需要有一雙高筒雨鞋。

5. 攝影器材務需經徹底檢查，並最好帶一套以上。為防搭登陸艇時濺濕器材，需準備塑膠袋。

6. 在低溫下電池的電力會劇減，耗電較大的全電動式攝影器材更需準備充分電池。

7. 準備一手電筒及鉛筆，在探訪古屋時用得上它們。後者利於在低溫下於訪客簽名簿上留名。

8. 準備一個背袋攜物，以空出雙手而利於安全上下登陸艇。

9. 在甲板及岸上時，需注意勿滑倒受傷及摔壞攝影器材。

10.在船上切勿進入舵手前的位置及觸動任何儀表。

11.科學研究站並非觀光景點，因為觀光客來訪的季節也正是研究站最忙碌的時候。

12.下船前須先去「方便一下」，研究站並不歡迎水肥，因它需耗費昂貴的水及人力資源等以做清洗。

13.在岸上時，切勿離群獨自行動，下一班船會是很難等的。

如有機會住宿在科學研究基地時應注意：

1.需節約用水，並特別注意用火安全。

2.需飲用足夠的水，以防體內失水。

3.在能見度低於100公尺時勿外出。

4.外出前，需報告當局去處以便追蹤及搜救。應攜帶足夠的禦寒衣物、無線電及太陽眼鏡，後者係用以濾除強烈的紫外線並防止雪盲。

附註

(*1) 由於中文裡沒有更適當的字眼而將Expedition直譯為「探險活動」，其實在這裡它所隱喻的是該種旅遊在探訪位於遙遠難以抵達的極地之「稀有性」、「自然性」甚至「英雄性」。在廣泛地應用現代科技之下，今日大規模的商業南極旅遊雖仍較其他地區困難，但也絕不若早期的「探險活動」。

(*2) 它指東南極大陸海岸，尤其是面向印度洋的部份，因其不若南極半島與羅斯海域有較頻繁的人類活動而得名。

(*3) 船舶航行之穩定性不全然決定於其順位，其設計及配備與船底形狀、結構及防擺系統等均有關係。

(*4) 其內有營帳、保暖、照明、食物及醫藥等，作為登陸後有不可抗力因素而導致無法及時返回船舶時之緊急所需。

(*5) 它通常設置於上下船之舷梯口的艙門附近內牆，依號碼順序掛有每位旅客之雙面不同顏色吊牌。每次走下舷梯搭上登陸艇前，需「自行」翻轉顯示不同顏色以表示該旅客已離船，反之，每次回船後亦同。任何人不得代他人翻轉吊牌，以確保沒有任何旅客離船未歸。

(*6) 與皮毛海豹需保持至少15公尺，對企鵝、海鳥和其他海豹則為4.5公尺。

前進南極

地球溫室效應是嚴重的空氣污染問題（作者）

人類活動對南極之衝突 19

由於南極地區的特殊自然條件，使得其生態及環境系統極端脆弱，一旦遭受破壞，除需極長的時間才能恢復，甚至造成全球的浩劫。

南極地區的特殊自然環境使其對各項衝擊之恢復能力極端緩慢，一個踩在地衣植被上的腳印需要至少十年以上才能恢復，受掠殺的野生動物也不容易恢復其數目，廢棄物亦難以分解腐蝕，其自然環境系統的破壞將造成全球的浩劫。

直接衝擊

現今人類活動在南極地區之直接衝擊已受到南極條約之某種程度的管制：

《經濟動物的搜刮》

南極地區的海洋經濟動物通常生長緩慢極易被過度捕獵，這除了造成其本身族群的生存危機之外，其上下層食物鏈間的關係也會嚴重地被破壞，從而造成整個海洋生態系統的不平衡。

1. 海豹之商業捕獵

皮毛海豹及象豹是本地區最早被人們大量掠奪的海洋動物，人們忌覷的是其皮毛與油酯的經濟價值。在1775年庫克船長發現南喬治亞群島之後，捕海豹者即大舉入侵南極地區。當時以英國及美國最先，而俄國、法國及其他歐洲國家繼之。1893到1918年左右是其高峰期，後因海豹數量急劇下降與石油燃料之開發使用而降低其需求量，但皮毛的需求仍使商業捕獵斷續地進行至1970年代之「南極海豹保護協定」(見第203頁)國際保育計劃的實施而被全面禁止。

2. 商業獵鯨

人們在19世紀初便開始在南極地區外緣捕獵抹香鯨和南正鯨，而自1904年挪威人成功地在南喬治亞島設立了一個捕鯨站起，直到1942年間是南極地區的主要商業捕鯨期。在1917年時，已經擴展到6個捕鯨站、21艘鯨魚加工船和62艘捕鯨船，一年之間即有約1萬條鯨魚被捕獵。在1929 / 31年間，更達到顛峰規模——光英國和挪威二個捕鯨王國便有超過40艘鯨魚加工船及超過200艘捕鯨船在南極海域活動，連其它國家船隻總共約有300艘，是有史以來南極海域有最多

船隻集結的年代。本世紀估計有總數超過130萬條之各種鯨魚被人們捕獵，尤其藍鯨、南正鯨及隆背鯨幾乎滅絕，而鰭鯨、抹香鯨及西宜鯨則只剩原本數目的10－20％。1946年成立的「國際捕鯨委員會（IWC）」首先以設定配額的方式進行管制。1963年，藍鯨與隆背鯨完全被禁止捕獵，而其它鯨類的捕捉配額也逐漸削減。到1970年代，鰭鯨與西宜鯨也完全被列入保護。1985年，在南極地區的各種商業捕鯨被全面禁止。1994年5月，進一步將佔有鯨魚數目90％之40 S以南海域宣佈為「南冰洋鯨魚保育區」，惟日本仍然繼續以科學研究為名作商業捕鯨，尤其是西宜鯨。

3. 南冰洋之魚撈

1960年代之蘇聯及波蘭首先在史考提亞海域作商業捕鱈魚。到1970年代初，即曾有年漁獲量約40萬公噸的紀錄。在1978／79年間，範圍擴展到南雪特蘭群島。現在則主要以捕捉魷魚、冰魚及巴塔歌尼亞齒魚（Patagonia Tooth Fish）等為主，我國的捕魷船隊即受國際關注。

南冰洋之魚類生長特別緩慢，僅管其被補捉的魚貨量噸位與其他海洋比較看似不大，但事實上卻已造成其嚴重的保育及生態平衡問題。另漁撈的方式不當卻可能造成對其他某些野生動物的危害，如信天翁即因長釣線捕鮪而使其每年約有4萬隻遭殃。

南冰洋的磷蝦商業捕撈則始於1960年代晚期，包括東德、智利、南韓、波蘭、日本與蘇聯等均曾涉入，尤其後2者最為積極。我國在1976年起也曾作過4航次之磷蝦捕撈及處理的科學探險，惟今日並無進行大規模作業。因磷蝦含有特殊的「蛋白質消化酵素」而需在捕獵後數小時內即予加工，另其外殼含高成分有毒的「氟」而需完全剝除。雖然蘇聯曾發展出附有處理設備的漁船及加工方法，惟其處理費用高及市場接受性並不好，使其主要被當作飼料使用。今年捕獲量約在10萬公噸。

人們對磷蝦的過度捕獵會造成鯨魚數目回升得更加緩慢。「南極海洋生命資源保護協定」（見第204頁）已設定有捕撈配額的規定，以保護南冰洋魚類及磷蝦等自然資源。

《其他人類活動》

其他人類活動帶來三項主要衝擊：廢棄物、污水、油污，及其活動本身造成的生態、環境破壞與疾病（如廚房污水所帶來的家禽病毒）。

1. 科學研究活動

諷刺的是科學研究活動本身也造成對南極地區巨大的衝擊，其原因除係活動人次增加之外，更來自研究基地本身顢頇的行政管理，甚或政治決策所致。前者主要以不當的地點選擇（緊鄰或位於野生動物棲息地）、實驗室、內務廢水及廢棄物處理與油料儲存使用所帶來的污染；後者則如嚴重影響生態環境之挖山闢地興築飛機跑道。

阿根廷、澳、法、波蘭、英、美、紐及俄羅斯等的研究基地都曾有不良紀錄，甚至惡名昭彰。事例有如：把包括有毒的廢棄物完全沒有處理直接棄置到冰縫裡或浮冰上（見第176頁）；法國甚至在1983年起，於其基地旁使用炸藥開闢一1100公尺的跑道，除在建造中炸死野生動物之外，在啓用後明顯地將造成緊鄰豐富的野生動物之巨大衝擊。惟在1994年1月，其完成不久的設施受損於一場自然災變而以灰頭土臉收場；另英、阿二國也曾因興築土石跑道破壞環境而遭詬病。

研究基地之「天高皇帝遠」的心態，在因南極旅遊興起之到訪旅客的眾目睽睽，與國際綠色和平組織自1987年初起陸續進行查訪，並公佈其調查報告之下，被迫調整。如美國麥可墨得基地終在1989年花費3000萬美金作30多年來第一次之大掃除，所有包括約2728公噸的廢物、數千桶油料、溶劑、含劇毒物多氯聯苯的舊變壓器、石綿爆裂物、化學品以及拆除了「核子發電機組」，並挖除附近受污染約11000噸之冰雪及岩石等全部用海運送回國處理。

在1991年通過之「馬德里環境協議書」將「科學研究活動對南極的衝擊」列爲南極科學研究之重要項目，而改變了其研究面貌。紐西蘭之南極事務機構發展了一套南極廢棄務管理辦法，所有廢棄物分類爲五種：可燃性者，在其研究基地以高溫焚化爐焚毀，灰燼運回國。不可燃性、

人類活動面對南極的衝突

危險性（如電池、石綿、油漆、清潔劑、石油製品、化學藥品等），及可再生性者均運回國處理。而內務液體（如水耕液、廢水……等）則經處理後，再經加熱之管道排放入海水。在海岸地區工作之野外研究隊可將人體排泄物排入海水，但在內陸工作之野外研究隊則需將其攜回基地處理。

　　為控制南極最大之污染源—油污，工作人員均經特別訓練以避免油料之溢漏，野外工作隊則發給吸油布，另有與隔鄰墨可麥得基地合作的漏油緊急處理計劃。澳洲亦有類似的辦法，如還有送往基地物品之包裝材料不得使用PVC與聚本乙烯、特別設計的油料儲存，及使用／研發乾淨能源設備。

2. 旅遊

　　現今每年夏季的旅客人數（尤其是船遊）已遠超過南極科學研究相關人員，且逐年穩定成長。其特性是「集中在某一季節密集探訪某些地點」，因此造成對極端脆弱的南極地區生態環境之「集中且累積性的巨大破害」，尤其是南極半島尖端約500公里長的西岸地區。旅客的探訪帶來廢棄物，破壞生長極端緩慢的植背；圍繞正值繁殖季節的野生動物攝影，而嚴重地干擾其繁殖率；搜取地質或歷史文物紀念品，甚至影響昂貴，以及也正需把握短暫的夏季所要進行之科學研究活動等。

　　在廢棄物中，油污係南極最大的可能單一污染源，其來自海陸空交通工具。1989年1月，阿根廷的巴來索（Bahia Paraiso）號郵輪在美國帕碼基地附近的擱淺事件，曾造成近80萬公升柴油漏出，造成無以計數企鵝、海豹及海鳥……等喪命，及污染環境的大浩劫，科學家們估計要數百年才能恢復其食物鏈中之微生物族群社會。

　　有關南極旅遊之管制措施，請見第263頁。

3. 南極採礦

　　南極大陸的礦產開採本身有許多困難，包括需克服嚴峻的天然條件之探勘，及挖掘技術、運輸、經濟性、造成的污染及環保衝擊等。其將造成極大的污染及環保衝擊：漏油事件的嚴重威脅，尤其對磷蝦的傷害更影響整

個生態系統；另鑽探、抽取、儲存及運輸和繼之的落塵污染均將對該地區甚至全球帶來重大威脅——除萬年積冰將因而減低其科學研究價值之外，它對陽光熱能之反射度的大幅降低，將造成冰帽之融化、加速海水位的提昇，以及使原已失調之全球天候變遷更形惡化。

「馬德里環境保護協定書」禁止南極地區採礦50年的決定(見第204頁)，暫時解決了上述顧慮。

間接衝擊

遙遠的南極地區已因人類不當文明活動之積累擴散而造成巨大的衝擊，它正好顯現出人口稠密地區之該項問題的嚴重性：

《地球溫室效應和冰帽融化》

大氣中之二氧化碳與某些其他氣體如水蒸氣與甲烷沼氣，會吸收地球表面因太陽照射之反射熱，以阻擋它們發散到太空，而使得地球有足夠的溫暖環境以適合各種生物的存活。因此其被稱為「溫室氣體」，它們是地球成為綠色星球之極重要的氣體。但當其濃度太高而造成過多的熱能蓄積時，便造成整個大氣溫度的

提昇，這即是「地球溫室效應」。它會使冷季減短、熱季增長，並造成較乾的土壤及較濕的空氣；在1975年人們發現在南、北極與葛陵蘭都有積冰融化的現象，惟它卻愈來愈惡化。

自工業革命以來，大量石化燃料的使用，產生大量的二氧化碳；再加上無窮盡的土地開發，造成能消耗它之大量森林的破壞。這樣的人類「文明」使得二氧化碳的含量不斷增高，在過去100年來其濃度已增加了30%，現在的增加速度約是每年3%。其他包括甲烷(來自畜牧業之草食動物的排泄物分解)、二氧化氮(來自農業之土壤中為生物反應及氮肥分解)四氧化碳(來自冷凍及塑膠等工業)，也都因人類的現代活動而增加，其聯合效應將使二氧化碳造成的地球溫室效應增加了約3%。

地球溫室效應在不同地方所影響的層面不同，全球平均溫度在過去200年來約已提高了7℃，而在極點的溫度提升遠多於其他地區——大致為12℃。這使南極大陸上長年形成的冰帽逐漸地融化消失，全球的海水水位也因而

人類活動面對南極的衝突

逐漸升高，海水鹹度變淡，生態物種甚至全球氣候型態均大受影響。

狹長的南極半島像是一個天然的感測器，它自南極大陸向北突出南極圈外的海洋及大氣中。在那裡的許多跡象都在告訴我們地球暖化現象的嚴重性：

位於南極半島西岸中部，在1966年仍有面積約1300公里之渥笛（Wordie）冰棚已不復見。1986年，拉森及菲爾克那冰棚分別有約11000及11500平方公里的積冰裂解入海，其體積約為南極大陸年積雪量的3到4倍。另俄國白令豪山基地附近冰帽原本厚度為600公尺，在過去12年以來已減少40%。

自1975年以來，美國帕碼基地的科學家發現：相對於提供其覓食及活動之浮冰面積的減少，其附近的阿得里企鵝數目減少了

人類對南極之衝擊報告─綠色和平組織（作者）

40%，且有21個棲息地已消失。另發現喜歡在較「溫暖」地區活動的寒帶企鵝卻有向南移之勢。

英國羅西拉研究站發現：因積冰消失土石露出，30年來附近某些植被面積增加了5到25倍。另在1973到88年間，其附近之佳玲茲島上積冰平均厚度減少1公尺。

該半島東岸北部的拉森冰棚上之裂縫，已大到可清楚地顯示在衛星照片上。另包括原與詹姆士羅斯（James Ross）島連結厚達約200公尺總面積約1000平方公里的加斯塔夫王子海峽（Prince Gustav Channel）（見第139頁），已在1995年1月9日起於50天內裂解漂流入海消失，附近的阿根廷基地可感受震動。國際綠色和平組織在1997年1月底探訪該地區時，驚見其船隻竟然可以作該島的環繞航行，這是有史以來的第一次。

1997年2月初，位於南極圈內之阿根廷的馬丁研究站竟然下起「雨」來。經氣象資料統計，南極半島上之年平均 - 5℃之等溫線已向南移，且過去50年來之年平均氣溫已上升了2.5℃。

雖以二氧化碳和氫氣合成汽油與瓦斯而「回收」二氧化碳之初步實驗成功已有傳聞，惟它們燃燒後又產生二氧化碳，且其經濟性與對天候環境之影響如何，則仍屬未知。1992年巴西理約熱內盧、1997年6月美國紐約，及同年12月日本京都的聯合國環境高峰會議均在討論，並已達成某種降低溫室氣體排放之國際協定。

《臭氧層破洞》

多一個原子的臭氧（O_3），係高空中正常的氧分子（O_2）受陽光中之紫外線裂化，及其它化學反應而生成；而臭氧層是指在地球表面上空約10至25公里間，含有相當濃度的臭氧成份而得名。它對保護地球上之生物免於強烈致癌性的太陽紫外線侵襲，佔有極為重要之角色，尤其他們是大氣中惟一能吸收B種紫外線（UVB）的物質。沒有它，生物們幾乎無法存活。

1957年，英國的法拉代與哈利科學研究站領先作臭氧層的觀測研究。在1977年，其科學家法門（Joseph Farman）等3人即發現到在該地區上空之臭氧層濃度極劇降低，甚至造成破洞的現象。1985年，他們在其科學期刊「大自然（Nature）」正式提出一篇臭氧層正加快速被破壞的報告。原先依當時的情況推測在一世紀內臭氧層只會被破壞5％，但在1987年科學家們發現其在南極大陸上空之破洞範圍已經大到與美國及墨西哥兩國合起來之面積相當，原來其是每10年以約50％的速度被破壞。近年來每年南極春季8到10月止，其上空的臭氧層會有約70％被耗蝕消失，其濃度比1980年初時約少60％。

已知造成的主要原因是溶劑、冷媒及噴霧性家庭用品內之四氯化碳（CFCs）的氯，以及海龍滅火劑、鹵碳化溴和肥料中之二氧化氮的溴成份釋出到大氣中與臭氧分子結合，其中1個分子氯可消蝕1萬個臭氧分子，而海龍的破壞力是四氯化碳的3到10倍，其濃度因被消蝕擴大致造成

人類活動面對南極的衝突

破洞。其所帶來的危害是：陽光中紫外線的增強導致皮膚癌及白內障等病例之增加、破壞遺傳因子及免疫系統、殺滅南冰洋中浮游生物，因而連帶影響整個南極地區的食物鏈，以及破壞穀物影響收成。

1988年科學家們已證實北極和葛陵蘭地區也有類似問題，惟其破洞雖較小，但因在人口稠密地區上空影響的層面反而較大，包括對人們健康及農作等。

由於化學穩定性，五種四氯化碳及三種海龍在被釋放出大氣中，可分別存在60到400年，與25到110年。歷經1987年9月起由140個國家所簽署之蒙特婁環境協議書（Montreal Protocol）多次會議，工業國家已在1995年停止使用四氯化碳。至於溴化甲醇，荷蘭已在1992年停用，而歐洲國家及前述會議則分別決定在2001及2010全面停用。

《化學污染》

多年前，紐西蘭的科學家在維多利亞領地的許多海灘發現洋流帶來的聚苯乙烯顆粒，這顯示該種來自包裝材料、不易破壞分解的化學物質，已擴散漂流至各處海洋。

另荷蘭的科學家在南極的海鳥體內發現高單位的有毒化學物質，如多氯聯苯。他們發現在較溫暖地區之一些揮發性的化學物質，經「全球蒸餾作用（Global Distillation）」先上升到高大氣層，後經漂凝結並和雨雪混合降落在南、北極地，造成比出處可能高達百倍的污染量。

附註(*) 北極地區上空及其它中緯度地區也有臭氧層破洞的問題，惟其本身之嚴重性雖不若南極地區大，但因其處在人口稠密的地區上空，影響的層面反而較大。

275

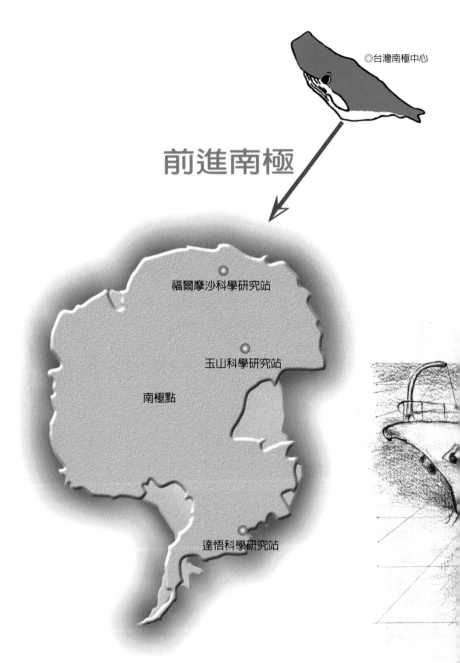

前進南極

◎台灣南極中心

福爾摩沙科學研究站

玉山科學研究站

南極點

達悟科學研究站

◎設立基地（圖中位置係示意用）並開啟我國
的南極科學研究（林文華）

◎台鯨是建國會之登錄標記

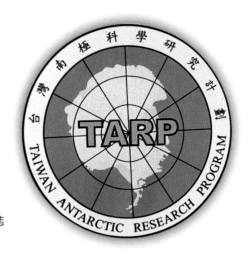

台灣南極科學研究計劃標誌
（林文華）

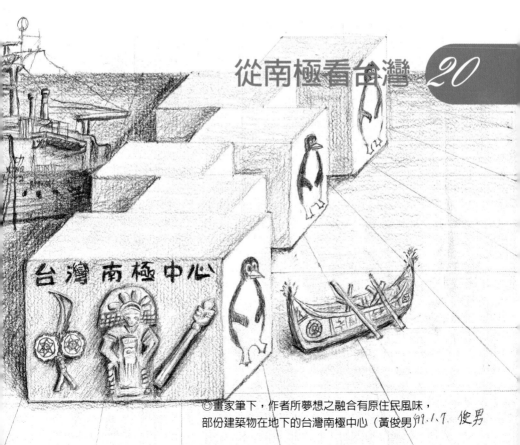

從南極看台灣 20

◎畫家筆下，作者所夢想之融合有原住民風味，
部份建築物在地下的台灣南極中心（黃俊男 99.1.7. 俊男

「海洋文化與科學精神」促使西方人在歷經數百年的海上探險後，終於100多年前即登上南極大陸而極度被扭曲的體制——「愚民、陸封、一切向錢看、務虛與漠視地球環境科學觀念」嚴重破壞了我們對大自然的人文態度，並葬送了曾有「美麗之島」美名的自然環境，與渡海而來的先民之生命活力，成為一個國際侏儒。我們著實需要一個「列島改造計劃」。

在西方之南極事務中有許多極具啟示意義的，尤其可以看到今日人口才5800萬的英國，在早期更少的人力資源之下，如何在群雄之中異軍突起，除發展成日不落國，更將其語言，文化推促成今日世界最強勢者之點滴的痕跡。現將其所顯現的意義整理如下：

人文事務

《海洋精神》

1.西方人在500年前即開始從事南極海上探險，在100多年前即已登上南極大陸。最早期前往洶湧的南冰洋作海上探險所使用的船隻都構造簡單且狹小，其中美國帕碼船長的英雄號最小只有45噸，而英國鼻司可船長的快活號只有50噸，另英國的庫克船長作外環繞南極大陸使用之果斷號亦才約有130噸。

2.遠自北極圈內的國家如俄羅斯、瑞典與挪威都有很活躍的南極活動前者在180年前領先發現南極大陸，而挪威之現在人口才434萬，卻一直有傑出的表現；另海岸線極短的比利時也剛完成其南極探險100週年慶。

3.自古以來之南極探險者，其職業從軍人、醫生、科學家、藝術工作者、律師、空服員、工程師到老師……等，有男有女，年紀從10幾歲到近90歲。現代的南極探險活動除了第12章所蒐錄者之外，還有以56歲之齡獨自駕10公尺長之遊艇環繞南極大陸3年，4人划船橫渡得瑞克海峽到南極半島，重作當年雪可頓自象島以救生艇划越南冰洋到南喬治亞島求援的過程（見第156頁），以及獨自在9公尺長的船上過多等，不一而足。

4.自古至今許多南極探險者均需自行籌款——從舉債、販

賣、典當物品到募款。挪威的阿蒙生曾詼諧地說：「只要能籌到款儘管往海上跑，反正債主不會找上遙遠的極地。」有那樣的大眾——從個人、團體到商號，會一直捐助探險活動；也有那樣的社會不斷出現即便有成就回來，卻亦可能背負債物的探險者。

5.伴隨英年早逝的史考特等之遺體，還有沿途採集「不肯丟棄的地質標本」（第149頁），而在其最後一天之日記上有這樣的記載：「我們極為虛弱，連寫字都有困難，『但我並不後悔來作這趟旅程，它正可以向世人表現英國人能忍受艱難、互相協助，並且以既有的偉大艱毅精神去面對死亡』。」她的妻子布魯斯（Kathleen Bruce）在當年作為其前進基地的紐西蘭之基督城市中心大教堂廣場不遠之雅芳河（Avon River）畔，為他豎立了一個雕像，其基座上即有上述括號內之留言。

6.費尼斯（選錄第53）說：「為什麼人們要去冒險、追尋危險與不舒服的事務？每天，我們大多數人都要面對困難，但是，需要去與故意去之間是有很大的不同。」

7.高齡的馮恩（選錄第62）說：「作大夢，不要怕失敗(Dream big and dare to fail)。」

8.奧斯蘭（選錄第64）說：「走出去到大自然中，突破疆界，推向極限。」

9.在南極旅遊團中，即便在搖晃的遊船裡亦不乏80歲白髮的西洋老者，只為了完成其一生的願望探訪古基地，而一睹先人之遺物並追念其英勇事蹟尤其是他們的主要目的。

《科學精神》

1.西方人以科學原則提出南極大陸存在的推論，且積極地將指南針應用在海上航行，並迅即察覺其有指向誤差再經計算而有了南、北磁點與其他地理發現。

2.自始，西方的海上探險除航行日誌的詳細填寫，即常伴隨各種科學研究，如生物、海洋、地質、天文、水文、製圖及氣象等，而在發現陸地時均設法登陸、畫圖，或在其近海量測水深數據並製作海圖，回去後撰寫報告——將人員、設備、船隻、過程、天候、海圖及圖像……等資料詳細紀錄保存。另隨行人員因

時代的演變而很有系統地發展出各種專長，從基本航海之相關人員到木工、金工、機械工、醫護、水文測量、海圖製作、藝術（繪畫、音樂表演）、潛水、攝影、天文、海洋、地質、礦物、氣象、生物、通訊以及實驗室助理等。

3.今日南極船遊之西方旅客會聚集在船橋裡，手持望遠鏡找尋海鳥與鯨魚等，並查對野生動物手冊與海圖，後一一將日期、時間、經緯度、動物名稱／特徵及天候資料等記在日誌上。同時也會在圖書室查閱書籍，並踴躍出席各項講座。行程結束前，主辦公司會印製每日0時船隻所在之經緯度、天候紀錄，和該行程所至最南位置、第一個發現冰山之緯度等分發給每位旅客。

《其他》

1.探險者的著作引述之哲言

老印地安人：旅者越過河流、翻上山脈，平地人可能終生居住在峽谷內，惟有那些追求真理的人會登上山頂。這區分了自然的探險者與飽讀滿腹者之兩個不同的世界。儘管後者藐視實地之探險世界，但前者卻樂此不

疲，並熱衷於追索探險者背後的理由。

卡洛琳・凱立：我們在郊區，給人們一個盒子──叫做房子；每晚他們呆在裡面觀看另一個盒子。早晨，他們移往另一個盒子──叫做辦公室；週末，他們鑽進另一個有輪子的盒子──叫做車子──而擁向無盡的交通阻塞。

2.儘管早期的西方國家仍在帝制的時代，但沒有海禁且有不少南極探險活動均由私人主導，配合民間社團──尤其如英國的皇家地理協會──的積極參與而進行，民間的商業探險甚至更活躍。

3.英國替紐西蘭及澳洲在其就近的方位所宣佈而瓜分的南極領地面積約有整個南極大陸的一半（見第200頁）。儘管早年包括美國、德國、日本、挪威及法國等，均曾在那些地區作過開發探險活動。

4.英國、紐西蘭與澳洲等3個兄弟國家，除了奮力從事南極探險與科學研究之外，他們對其南極古蹟之維護亦特別不遺於力──如在其古基地之爐灶上仍有當年

的蛋糕，廚架上仍有可食用之當年的蜂蜜，暗房的試瓶裡有當年的化學品，甚至當年報導鐵達尼號沉沒的畫報仍在。 這除了保存其文化資產，亦使其在整個南極的人類活動史中佔有更堅實的地位，進而積累其文化之強勢，所有接觸南極事務者均免不了受其洗禮。(瑞典在南極半島地區之古屋則較缺乏照料，甚至破敗。

簡陋的器材與燃料／取暖用之動物油酯（作者）

)

5.那些有海上探險活動之國家，不乏博物館有當年使用的船隻模型、隨行的畫者、攝影者所製作之探險過程的圖像，及其他相關文物等搜藏展示，或把歷史性的船隻維護成博物館，甚至將因改建而拆下來之科學研究基地的建材專程送回國展示，或用以建造博物館等。

6.西方國家的活動領域早已從遠洋海上探險跨入太空探險：火星已在1年多前登陸，太空站的運作已十多年，登陸月球到明(1999) 年將值30週年。

《從南極看台灣》

雖然不是最早開始從事海上探險活動，英國卻由政府、民間公司與教會很積極「有組織地」往他國所先發現的新大陸作海外「殖民」。儘管在一場熬戰7年「領土不可分割的聖仗」中失利而顏面盡失，且被迫簽訂「巴黎條約」，但他卻沒有與那個新國家──美國──「漢賊不兩立」，反而因為有來自比當年其他競爭者──荷蘭、西班牙及法國等壓倒性多數之英國移民，而使其成為一個「親英國的兄弟國家」。

透過同樣的過程，英國又在地球的不同方位培植了紐西蘭、澳洲與加拿大等三個兄弟國家，並各自發展其制度與當地的多元文化。英國與美、加之間未有兩岸對立，美、加之間邊界不駐防，而紐、澳之間更無兩岸糾紛。近年來，澳洲甚至已漸追隨美國走向獨立成為共和國的道路；紐西蘭也已對更換國旗、國歌討論多年。加拿大奎北克之獨立也已醞釀多年——他們將「文化認同」與「國家認同」分開——但卻無礙於他們的情誼，而能長久以來在國際事務中互相支援：從前述的南極領地劃分、美、紐合作扼住南極大陸出入的重鎮——羅斯島、兩次世界大戰、福克蘭戰爭（見第114頁）(*1)，到最近在去（1998）年2、3月間對伊拉克作強制武器檢查 (*2) 等。他們5國的總人口數約在3億7000萬，但在國際舞台——如聯合國中，他們除各佔有大會席次之外，在安理會之五個常任理事國中佔有2席；另在南極條約中他們除各佔有席次之外，在十二個原簽約國中他們佔有4席（不含加拿大），而能將其國旗環插在南極點；另

他們佔有現今總數1/4之全年運作的南極科學研究基地。

有12億2700萬人口的中國，為聯合國之安理會5個常任理事國之一，但包括在其他國際組織如南極條約等，亦分別只有1個席位——亦即他「沒有兄弟」。中國不但加碼挹注，甚至飛彈威脅，以打壓「中華民國在台灣」之開拓國際空間的努力。

看來香港出版的「亞洲周刊」在1997年8月4～10日一期的一篇題為「北京應從速改善國際形象」之文章中有如下的評論是有感而發：中國缺少一種泱泱大國的氣度、一種包容而開放的胸襟、一種自信而從容的姿態……。讓我們來回顧一些史實：

1.中國雖然發明了指南針，並有「臨世界最大海洋之漫長的海岸線」，但至今傳承其特殊「添福壽、保平安」文化的子民，顯然將它用在「看風水」比作海陸活動之指向定位還多。而難得卻曇花一現之沿海岸航行的鄭和下西洋，與西方之遠洋海上探險的性質亦與目的明顯地不同。

2.同樣是帝制時代，中國自

從南極看台灣

古即統一學術思想、海禁鎖國及限制科學發明研究；沒有民間組織，更無活躍的大自然活動，甚至後朝拼命清除前朝之建樹。

3.同樣原係東方鎖國帝制的日本，經明治維新脫胎成現代化的海洋國家後，在沒有今日快速的資訊傳播之下，其探險隊竟能在1911年西方人已花了數百年的海上探險才正要由挪威與英國進行南極點陸上探險決戰之際，知道並能首度作長程海上航行經紐、澳前往羅斯海域，甚至直搗「鯨魚灣」而讓前往接阿蒙生等自南極點歸來的挪威船隻在那裡驚遇他們（見第151頁），並在今日南極大陸地圖上留有難得有東方國家所命名之地名。

4.在明鄭將荷蘭人驅逐之際，前者急於接收財務，而後者卻忙於撤退典章文物。1945年戰敗的日本留下「科學、務實與法制」的體系、教化，有秩序地自基隆撤退。於長年渴望之後，台灣在隨肩背鍋傘、腳著草鞋的中國兵而來的體制下歷經劫掠與貪污只稍二年即發生「二二八事件」結果是數萬受過現代文、法、醫、農、藝術及宗教等教育之知識菁英，在短時間內被有計劃地剷除。

5.中國姓氏之家譜上的堂號均為其發源地係在黃河流域之印紀。筆者李姓的「隴西堂」表示其源自甘肅，我的阻先自古——還沒有共產政體的時代——即從那「中原地區」漸次陸上移民到所謂「南蠻地區」的福建，然後在13代以前在「海禁」之下經「無組織性的」海上「流民」到中國人所謂之「鳥不語花不香」，但西方探險者卻讚歎為「美麗島（Formosa）」的台灣。另在上個世紀初——也仍未有共產黨的時代——以前述同樣的情形不知有多少來自另一個「南蠻地區」——廣東——的海上流民擁向遙遠、未知的「番邦」，而在那裡參與那個新國家——美國——之興築鐵道的建國工程。繼之在1840、1850及1860分別在美國舊金山、澳洲墨爾本附近的本地歌（Bendigo），及紐西蘭南島皇后城附近的箭城（Arrowtown）的3個淘金潮中，他們又以同樣的過程參與。至今，後續人口的流向仍然以「祖國」的中國為中心，想盡辦法一路往前述（另有加拿

283

大）國家跑。一百多年來，前述那些早期出走者的子孫，卻都已在那些新大陸安居樂業並無奮力回流。

6.中國的長城研究站曾1987／88年間於一項慶祝活動中，為營造「務虛、熱鬧之門面氣氛」而施放為數達數百隻的「和平鴿」，除了嚴重漠視南極條約「不得攜入外來之動植物」的規定，更即凍斃那些鴿子，而首創了一個在南極社區流傳，讓人哭笑不得的「南極怪譚」。

7.在中國文化體制下的台灣，政治銅像／廟、公共收費／稅捐、功德會、寺廟、神壇、靈骨塔及馬殺雞的體系，遠龐大於圖書館、博物館、藝術館、科學館、体育活動設施／俱樂部、水陸空大自然活動設施／俱樂部、讀書會、藝術協會、愛護動物／環保組織及國家公園等；法師、道士、地理師及卜卦看相者多於科學家、歷史學家、文學家、運動員及藝術家等；花在大自然活動的精力遠少於美食、進補、放生積陰德，甚至長生不老與升官發財——居所內「旺來高昇」、「官運亨通」、「書中自有顏如玉」、「招財進寶」、「恭喜發財」、「一本萬利」、「地理龍穴」及「對我生財」之類的標示或象徵物，除掛在嘴上、刻在牆上、印在賀卡／書籤、吊在車內、掛在身上，甚至供奉在神龕裡，不一而足。

中國的問題顯然不在於其共產體制，「日出而作日入而息，帝力與我何有哉」道盡了自古以來中國即流於內鬥，遠不足帝王企鵝群般為一個「生命共同」（見第87頁）的國度。統治者以長期「海禁鎖國」強化其「大中國」陸封及專制……等「大統一」封建霸權思想與配合宗教的「宿命論」、「功利主義」的原動力及許多亂象根源——「功德觀」及「國家儒教」之愚民洗腦所編織成根深地固之世界上特殊的文化，應該可以作上述之「中國現象」的註解。

「中華民國在台灣」於50年前所建構的體制，更將其發揮得淋裡盡至：政治系統以共產體制的獨裁高壓為體，採行的策略是白色恐怖、媒體／教育之思想控制、山禁、海禁、語言限制及資訊的管制等。人們自小在填鴨統

一教材、記憶及補習之「表面公平實係精密設計」的聯考升學教育制度下，被根本封殺其獨立思考、創作與活動力；經濟政策以「統制下之放任式」的資本主義為用；社會安全保障則以似是而非的「天下沒有白吃的午餐」搪塞——將人們徹底侷限在「經濟唯一」的活動及思考領域——這便是創造所謂「經濟奇蹟」之「台灣經驗」的真面目。它葬送了原被稱為「美麗之島」的大自然居住環境以及所有均係渡海而來的「海洋之民」的生命活力與對土地、大自然的人文感情，使得台灣變成有名的「垃圾之島」、「貪婪之島」與「國際侏儒」——在其他活動領域乏善可陳。

長期戒嚴的解除、政治之開放以及週休二日也實施均屬難能可貴；但「經濟掛帥」甚至變本加厲，在繁重的稅負之餘卻幾乎找不到免費的「基本公共服務」從「公共」廁所、交通設施博物館到國家公園的解說目錄等，幾乎均需自費繳附；甚至基本的社會安全保障仍未能由國家預算提撥，而需更辛勤的工作以支付、學校教育以理、工、建築、醫學、一般法律、商業及銀保……等經濟活動導向之學科為主，其他特殊法律、政、文、史、地、藝術、考古等人文科學，與天文、海洋、水文、氣象、天候、環境、地質、生物、森林……等太空／地球科學都不被重視。馬上就要跨入21世紀了，青年人的活力仍主要耗在聯考補習、電腦網路、逛街、電動玩具、卡通漫畫、迪斯可舞會、郊遊烤肉與街頭飆車。雖然四面環繞溫暖的海洋，但我們近海而不認識海，絕大多數人不會游泳，且還不能登記擁有遊艇，更沒有其俱樂部和碼頭；口袋裡只有簽帳卡而無借書證，甚至一輩子沒進過圖書館、科學館及博物館教會奉獻；尤其，香油錢總是絕大於公益捐輸，餐飲消費遠多於文化與大自然活動支出；只知經濟成長率與股票指數，擁有巨額外匯存底卻無「國際戶籍」。

《其他》

以下主要為小國紐西蘭之一些值得借鏡之處：

1.紐國已在前（1997）年1月慶祝其從事南極科學研究活動與研究基地成立40週年紀念，另外

在我們看來經濟狀況不佳的，如阿根廷、智利、印度、巴基斯坦、中國、保加利亞及烏拉圭……，以及國內政治一直不安定的南非，和我們的近鄰南韓都已從事多年的南極科學研究甚至擁有一個以上的科學研究基地。

2.在前述中國的競逐之下，「中華民國在台灣」於1997年8、9月一趟半個月之中南美洲太平之旅總花費（以下全為美金約數）約為當時的7億，其中「中美洲發展基金」達2億4000萬及包機260萬，而光給巴拉圭的捐贈即達100萬以上。另其在1997年初通過之1998年之警政預算約為10億7400萬以上，其中光應付群眾遊行與集會部分即約達4億4440萬；而如第十四章所述，除了表面上是學術活動，其實亦是「政治活動」的一環。被視為「昂貴」之各國近年的南極科學研究其年度經費約數為：美國1億9700萬、澳洲4560萬、日本4000萬、英國3500萬、荷蘭1800萬、南非1200萬、俄羅斯1050萬、挪威600萬、紐西蘭170萬、比利時155萬。其中美國為南極俱樂部之老大，而紐國則為南極條約原

簽約國中國民生產毛額最小的國家但其在南極俱樂部卻極為活躍，它曾主辦1985及1997年之2次南極顧問會議並對國際南極事務有相當的影響力。另補充最近（1998年12月）給尼加拉瓜的賑災捐款一筆就是1200萬美金。

3.除了科學研究，紐國還積極地進行相關的公共教學──稱作「南極研究與紐西蘭教育連線教學計劃(LEARNZ)」，包括選派老師或社會人士到其研究基地參觀及作野外實習探訪，並透過電子會議及網路與全國200所小學現場連線教學；另還設置獎學金以培養下一代科學家。

4.人口100萬之紐國的奧克蘭市有35所社區開放式圖書館以及流動圖書館，即使如數千人的小鎮仍可見圖書館與博物館，透過連線人們亦可自外地借書。每個圖書館附近都有「民眾諮詢處（

資訊公開─亦到處有資訊中心（內政部）

從南極看台灣

Citizen Advice Bureau）」，成堆的目錄從當警察逮捕您時要如何處理、行動不便者與緊急民防，到公共野營位置圖等任人索取。

5.人口只350萬、面積爲台灣7.5倍的紐國當局在1997年已提出：土地不足，欲土葬者建議改用站立式。

自然事務

《全球環境變遷》

1.「地球暖化現象」是美國環保組織「山嶺俱樂部（Sierra Club）」極端關注的一個全球環保議題，它在其所規劃的「太暖網頁（www.toowarm.org）」中說：「我們在進行一項有史以來最大、最危險的實驗，我們將孩子們的未來都賭上了，該現象之衝擊包括海水倒灌、天候異常（水患／乾旱／暴風／愛尼納或聖嬰現象），及其所致的致命熱浪、森林火災、農作歉收、飢饉與傳染性疾病（登革熱、瘧疾）蔓延、動植物遷徙甚至物種滅決等。」

2.山嶺俱樂部提出的對策是呼籲民眾寫信給其總統與決策當局，並附上一張其孩子或孫子的相片，要求爲下一代之生存環境

實施包括：提高汽車及冷暖氣的能源效率、節省能源、建築設計／材料的改革、以瓦斯代替燃煤及增加日光／風力發電……等對策，但並沒有「以價制量」以及「增加核能發電機組」——雖然他們具有技術、設備與資源等優勢條件——的小動作；沒有一個國家以後者作爲降低二氧化碳排放的策略。（*3）

3.美國曾以體積龐大的柴油燃料運補儲存困難，而在1962年於其耗電量最大的麥可墨得基地啓用一個核子發電機組，但因維護廢料處理昂貴及安全考量，而在免強運作了10年後花費鉅款經6個夏季的時間拆除清理（見第176頁）。此後儘管該基地經不斷擴充而使耗電量加，且因應降低溫室氣體排放的需要與壓力不斷增加，惟其卻再無核能發電之議。

4.低海拔國家的荷蘭在1976年即因對前述現象的關注而積極地在南極從事現今許多國家之主要研究項目的「環境科學研究」。

《從南極看台灣》

前述那些大自然反撲的現

建立具海洋性格新的國際戶籍（作者）

象，在這裡本已不乏它們的影子。台灣的人口有80%集中在佔全島1／3面積之海拔100公尺以下的平原，其人口密度不是每平方公里平均值的530人，而應是將其除以1/3再乘以80%，所得的約1250人。在此地狹人稠以及位處於地震與颱風地帶之自然條件之下，由於「經濟唯一」的觀念，原本因多年來人為的濫砍、濫墾、濫葬、濫建及過抽地下水……等造成自然水土保持系統嚴重瓦解所致的水患、土石流及地層下陷等天然災害，在其推波助瀾

之下更形加劇；然而污染性、大量排放二氧化碳與消耗日漸稀少的水源之大型石化工業卻仍被大力擴展（*4）；能源之開發／應用的總成本效益從帶被認真考量「永續污染」、在先進國家如德國已設定在2005年全面停用之核的大肆應用加上長期的不良運輸，記錄所可能未來之核子災變的威脅，「我們到底有多少本錢」來面對？

期望

1.我們需要一個「列島改造

50 Years of New Zealand Citizens

50 Years of New Zealand Citizenship

50 Years of New Zealand Citizenship

50 Years of New Zealand Citizenship

計劃」

在政治及文化方面：學習英國移民在紐西蘭一般，讓先後渡海而來的漢移民去除陸封的觀念與態度，共同與和那裡的毛利（Maori）人一樣均屬「海洋之民」的台灣原住同胞，在這個美麗島上建立一個充滿樂觀、進取、活潑，及冒險犯難的具有「太平洋文化特色」之「海洋性格的台灣國（ Oceanic Taiwan ）」。「台灣海洋文教基金會（ www.ocean.org.tw)」與「建國會（ www.nbut.org.tw ）」都已前瞻性地提出類似主張，並進行相關的工作；而新觀念雜誌社所推動的「玉山運動」——從認識我們的土地開始亦別具意義。

體制方面：建構一個民主、經濟、文化、科學、社會安全保障以及與大自然相融等均衡發展之東方瑞士般「生命共同的人性社會」。

「地方建設」方面：在週休二日的實施之外，廣建科學館、博物館（尤其是人文科學）方面、圖書館、藝術館、大自然活動設施、登山步道／木屋、遊艇碼頭及野營地等，並充實相關軟體設施。

海洋精神—2001帆船環球之旅（郭宏東／新觀念雜誌）

　　國土規劃與產業發展方面：
設立「國土規劃及環境保護部」
，學習日本、瑞士與荷蘭，發展
服務業（如航運）、高附加價值
/低能源消耗/低污染的製造業
與我們具優勢條件之風力及潮
汐發電和有效率的公共運輸系
統並減少自用車輛之使用制
定機動車輛，及高耗能源的
家庭、工業設備之能源效
率，與電力傳輸效率的國家
標準，及檢驗制度之實施，
還有建築觀念/設計/建材的
改革與全島綠化（*5)等。

冒險犯難（中華山岳協會）

玉山運動（郭宏東／新觀念雜誌）

樂觀進取─1995年紮營於登聖母峰途中
（黃德雄／民生報）

人口規劃方面：成立「移民事務部」作有組織性的海外移民，除基本上疏減台灣母國的人口成長壓力，亦能在多方面有利雙方國家。

其他：教育內容的台灣化，與升學制度的大改革、人文與自然科學並重、加強環境科學、修改稅制鼓勵公共捐獻以及強化公共衛生和緊急民防系統等。

2.成立「台灣地理學會（Taiwan Geographic Society）」，有系統地整理台灣的自然與人文歷史事務。

3.設立野外活動訓練學校，如英國的Outward bound school（*6），教導登山、攀岩、野營、定位、騎馬、風帆、獨木舟、航行、潛水、渡河、飛行、滑雪及

急救⋯⋯等之知識、技巧，與不搶功主名之正確的參與觀念。除推廣正當及安全的大自然活動而有益身心，甚至可視爲「國防體育」以強國強種。

4.前進南極

成立「國家南極事物主管機構」、制定「國家南極政策」及相關「南極法令」，設立「國家南極科學研究院」、研擬「國家南極科學研究計劃」，並在大學內設立相關科系與獎學金，開始

前進南極—JUMP(跳越)（作者）

進行包括「國際合作」的南極科學研究，甚至設立我們的南極科學研究基地 名爲「達悟」(擅長航海的蘭嶼原住民部落)、「福爾摩沙」或「玉山」南極科學研究站——除了可以「從事極地科學研究活動以科學強國」，亦能「開拓國際政治活動空間」。

另將台灣水產試驗所過去四航次之南極漁業科學探險的史實列入教材，「海功號」整修保存爲博物館而附於一筆者的夢想—另成立的「台灣南極中心(Antarctic Center)」——可以是公設、民間興建 / 運作 / 移交式(BOT) 或完全民營當作「教育、觀光產業」來運作、其中有聲光、展示，以及南極中心 / 科學

台灣的聖山（張合助／台灣國家山岳協會）

從南極看台灣

研究基地／學校之間作電腦連線教學，配合南極科學研究主管當局推選教師、學生、各界人士實地訪問科學研究基地，以推廣「海洋文化與地球環境科學」知識並擴展國人視野而邁入21世紀現代國家之林。

5.個人的希望：

「——Antarctica is a continent of power——once under its influence you can not resist it. It will capture you with its beauty and majesty——南極大陸是一個在各方面潛藏巨力的陸地，一旦受了它的影響您將無法抗拒。您將被它的美及宏偉所吸引——一次又一次地前去體驗那些未被人們貼切地描述的事務。」

個人希望有生之年能目睹前述的期望在這我們世世代代所繫的原鄉上實現；且於生命結束之後，能如當年蘇格蘭探險家布魯斯一般，將骨灰散撒在那圍繞著前述充滿自然之美的南極大陸之南冰洋。

備註

(*1)由於仍值東西冷戰期間，美國先扮和事佬，後轉向其南美盟國阿根廷施壓，並提供軍事衛星偵測情報給英國。

(*2)儘管包括法、中及俄等國反對而未能在聯合國通過議案，但美國執意對伊拉克施壓，而聯合英、澳及紐西蘭等國出兵，後者在老大哥登高一呼之下，派了2架老舊飛機一路壞一路修地趕去插上一腳。

(*3)相對於此，除了核四台電積極地計畫在擴充6個核電機組。

(*4)新的五輕，六輕石化裂解工廠之完成，光CO_2之單一污染源，即將提高全國排放量的25%。

(*5)我們的地表被嚴重濫用之不具生命氣息的水泥及柏油所覆蓋，這除了阻斷人們與土地的人文感情而無法感受大地的生機，也使雨水無法滲入地層以回補被大量抽取的地下水而加強了地層下陷，更因其較強的吸熱能力而加劇了居住環境的溫室效應，冷氣機與核電的大量使用只是雪上加霜地使環境品質更惡化。

(*6)它原係英國的藍煙囪航運公司有見於：在發生船難時，老水手的求生慾、機智及自信力等使其比年輕力壯的新水手有更低的死亡率，而在1941年創立的訓練學校，現今在包括印度、肯亞及馬來西亞等28個國家有48個連鎖學校，至今已有200萬人受過其訓練。

水泥、地磚與塑膠跑道泛濫的國度（作者）

參考資料

1. 1910～12 日本南極探險 / 白瀨紀念博物館
2. 1968～69 昭和研究站/南極點橫越探險報告 / 日本極地研究中心
3. 1996～97 南極調查報告 / 國際綠色和平組織
4. 1997～98 比利時橫越南極探險 / Alain Hubert
5. A for Antarctica facts and stories from the frozen south / Meredith Hooper
6. Alone to the South Pole / Erling Kagge
7. Amanda 計劃 / 美國加州柏克萊大學
8. Amundsen-Scott Station / South Pole Observatory
9. Antarctica / Jeff Rubin
10. Antarctica / 讀者文摘
11. Antarctica — Both Heaven and Hell / Reihold Messner
12. Antarctica / NZ Antarctic Society
13. Antarctica — The Last Frontier / Dr. Richard Laws
14. 南極簡介 / 南極地圖 / 紐西蘭南極中心
15. 南極簡介 / 南極地圖 / 澳洲地理雜誌
16. 南極的野生動物 / 澳洲國家南極科學研究計劃
17. 南極的發現 / Scott Polar Research Institute
18. 南極條約系統 / Antarctica & Southern Ocean Committee
19. 南極半島之南極古蹟與旅客遵守規則 / 英國Antarctic Heritage Trust
20. 南極的發現與探險 / Antarctic Philatelic
21. 南極科學研究 / Byrd Polar Research Institute
22. 南極地圖 / Antarctic Mapping Mission
23. 南極與南冰洋 / 李燦然 / 台灣水產試驗所
24. 南極蝦漁業技術及漁場資源開發/ 台灣水產試驗所試驗報告

25. 南極蝦漁業技術及紐西蘭東南海域深海漁場開發 / 台灣水產試驗所第30號公報（1978年10月）

26. 南極歸來 — 呂一鳴 / 自然科學文化事業公司

27. Aviation / John King

28. Birds / Collin Field Guide

29. Bombardier 公司產品介紹

30. 鄭和下西洋 / 戴寶村 / 中央大學歷史系

31. Crossing Antarctica /Will Steger & Jon Bowermaster

32. 宗教與文化及相關講演 / 董芳苑 / 師範大學社會學系

33. Edmund Hillary / 紐西蘭中文一族週報

34. Encarta 百科全書 / 微軟

35. 福克蘭及三明治群島介紹 / 福克蘭及三明治群島總督秘書處

36. 福克蘭爭奪戰 / 台灣廣廈出版公司

37. 地球溫室效應 / 美國Sierra Club

38. Hagglunds Vehicle AB 產品介紹 / 瑞典 Hagglunds 公司

39. Icebound in Antarctica / David Lewis

40. Icebound — The Greenpeace Expedition to Antarctica / Stephen Knight

41. Icy Heritage / David L. Harrowfield

42. 南極綜合介紹 / 國際南極資訊及研究中心

43. Life in the Freezer / BBC

44. 洛克希德公司產品介紹

45. McMurdo Station / South Pole Observatory

46. Mind Over Matter / Ranulph Fiennes

47. Mt. Vaughan Expedition / Grider Promotions

48. 我的南極經歷 / 陳鎮東 / 中山大學 海洋地質及化學研究所

49. New Zealand & the 21st Antarctic Treaty Consultative Meeting / NZ Foreign & Trade Department

50. 紐國南極政策研究 / Stuart Prior / 紐西蘭外交部

51. Outward Bound School 目錄與網頁

52. 「北京應從速改變國際形象」/ 亞洲週刊 1997 年8月號

53. Polar Sea & Polar Star / USA Coast Guard

54. Ross 海域南極古蹟與旅客遵守規則 / 紐西蘭Antarctic Heritage Trust

55. Scott Base — A History of New Zealand＇s Southern-most Station / David L. Harrowfield

56. State of the Ice / Greenpeace International

57. South Pole - 900 Miles on Foot / Gareth Wood & Eric Jamieson

58. 亞南極群島 / 各相關國家之國家南極科學研究計劃

59. Subantarctic Islands / Deparment of Conservation, New Zealand

60. 南太平洋及南極漁場漁獲物之加工試驗 — 彭昌洋 / 台灣水產試驗所第43號公報

61. 台灣南極開拓者 - 海功 — 廖學庚 / 台灣水產試驗所

62. 海功號滄桑記要 — 林宏誠/台灣水產試驗所潮訊(1983年11月)

63. The Coldest Place on Earth / Robert Thomson

64. The Icebound In Antarctica / David Lewis and Mimi George

65. The First Antarctic Winter / Janet Crawford

66. The old man and his mountain / Life 雜誌

67. 正確的大自然活動觀念 / 黃德雄 / 民生報

68. To The Ends of The Earth / Ranulph Fiennes

69. Two Below Zero / 澳洲地理雜誌

70. 美國基地後勤補給 / Antarctic Development Squadron 6

71. 英國 Antarctic Heritage Trust 簡介

72. 英國Royal Geographic Society 簡介目錄

73. 英國Royal Society 簡介目錄

74. 鯨與海豚 / Barbara Todd

75. 鯨與海豚 / Project Jonah

76. 鯨豚名中英對照 / 台大鯨豚研究室網頁

77. Woman's Tranantarctic Expedition / Grider Promotions

78. 美、英、德、挪、義、日、法、阿、智、印、中、澳、紐、斐、荷、比、韓、加、波蘭、瑞典及巴基斯坦等之國家南極科學研究計劃與科學研究基地 / 前述各國之國家南極科學研究主管機構

79. 各國之國家南極科學研究計劃 / Antarctic Managers Electronic Network

80. 各南極旅遊目錄

附錄

寶島未來的環境

中山大學海洋地質及化學研究所教授
陳鎮東

依據聯合國的估計，世界人口將以開發中國家帶頭繼續成長，預計在公元2050年時會突破100億人。因人口持續成長，所增加的環境負荷將更棘手。

世界各國在二次大戰以後，人口及其所伴隨的社會經濟活動急劇成長。全球人口於1900年爲16.5億，至1950年成長爲25.2億，1996年增加到58億。全球之經濟規模則在1950年至1996年間增加約5倍。同期中，能源供應量增加4倍有餘；肥料使用量擴大9倍多。在此狀況下，一方面先進國資源大量消費、廢棄物大量排放。另一方面，開發中國家因人口大增，爲脫離貧窮，進行大規模開發及經濟活動、砍伐森林，使地球環境之惡化，與日俱增。

具體而言，近年來形成之臭氧層破壞、地球溫室效應、酸雨、沙漠化等環境問題，並非侷限於一個地區或是一個國家，而是超越國境。另外，世界各地也存在熱帶雨林消失及野生動植物種類減少等問題。而部份開發中國家，在人口劇增、都市化及工業化擴展等背景下，公害問題更是層出不窮。

我國近年來已由開發中國家邁入先進國之列，在此期間所進行之開發及經濟活動，卻也使得環境涵容能力下降、環境問題惡化。根據

環保署「國家環境保護計劃」中的資料顯示，使得我國環境負荷加大的因素如下：

1. 人口密集：1996年底，台灣地區每一平方公里人口密度為596人，高居世界1000萬人口以上國家的第2位，且大半集中於都會區，人口密度每平方公里達2000人以上，其中以台北市每平方公里有9,586人為最多。由於人口太過密集，活動時產生大量的廢氣、廢水、廢棄物、噪音等，降低了生活品質。

2. 工廠林立：1996年底，台灣地區登記的工廠數總計96,850家，平均每平方公里將近3家，較1981年底增加1倍以上。

3. 機動車輛大增：1996年底，台灣地區機動車輛登記數達1,427萬輛，平均每平方公里396輛，較1981年底成長1.5倍；其中密度最高的高雄市、台北市每平方公里分別有7,034輛及5,311輛。

4. 垃圾成長：台灣地區垃圾量，從1981年底之356萬噸成長到1996年底之871萬噸；此期間內平均每人每日垃圾量亦由0.63公斤增至1.13公斤，使得垃圾場使用年限縮短，而新的垃圾場卻興建不及。

5. 家禽畜飼養數增多：1996年底，養豬隻頭數達1,070萬頭，較1981年底之483萬頭，增加2.2倍。另牛、羊、雞、鴨的飼養數也不斷成長，其排泄物對環境造成不少負荷。

6. 農藥使用量增加：1981年農藥（包括殺虫劑、殺菌劑、除草劑）使用量33,667公噸，到1996年已增為38,283公噸。

7. 電力消耗增加：平均每人每月家庭用電量由1981年之36度增至1996年之114度；若加上營業、工業用電等，平均每人用電量由1981年之2.2度增至1996年之5.2度。

8. 用水量增加：平均每人每月家庭自來水用量由1981年之4.6度（立方公尺）增至1996年之7.3度。若加上工業用水等，則平均每人自來水用量由1981年之76度增至1996年之125度。而且一些工廠及養殖業者大量抽取地下水，造成水資源缺乏，使得台灣被列入世界上缺水地區。

以上這些因素，造成我國獨特的環境問題：

1. 高山林地區：海拔高度在1000公尺以上之山地，為台灣原住民的主要居住地。許多非法掠奪山區資源的不肖民眾，上山造成水污染、土壤沖蝕、山崩地滑、森林火災、水庫淤積，甚至中下游的洪氾問題，及景觀破壞與野生動物之滅絕。其他北橫、南橫公路及已開闢之部份新中橫公路，皆有類似之環境問題發生。

2. 淺山丘地區：海拔高度在1000公尺以下、100公尺以上的山坡地，約占全島總面積27%，其中一半以上已開發為農業類型之土地利用方式，也有部份開發為住宅社區及工業用地。本地區因濫墾而造成水土保育不良者相當嚴重，林木之濫伐，伐木便道及高爾夫球場之開闢，對於本區生態系統全面破壞，造成景觀資源之破壞及水土保持不良，也導致下游地區之水源及洪氾問題。社區住宅林立，間或雜有零星工廠分布，與集水區域的養豬戶污水及茶園、果園噴灑農藥、肥料，都直接威脅都市的水源。

3. 沿海地區：為海岸平均高潮線及往內陸推移3公里或第1條山稜線間之地區，由於大部份開發歷史甚早，因此各種人為經濟與非經濟活動甚多，造成污染。此區也因多在河川下游出海口附近，河川帶來的有害污染物，使得沿海的環境承載力大大地減弱、漁蝦產量減少，

甚至某些生物就此滅絕。

4. 平原盆地地區：為海拔高度在100公尺以下之平原及四週有山地丘陵環繞、中間低平之盆地，所占面積不到全島的1/3，但其所受工業化與都市化的影響比其他任何一個地理區都來得直接而嚴重；公害污染問題有增無減，諸如空氣、水噪音、固體廢棄物、毒性物質之污染無日無之。近年來許多工廠下鄉，造成工廠零星分佈於農村地帶，一方面破壞原有農田水利設施系統，另一方面造成環境遭受破壞。此外，工廠排出廢氣、廢水，與鄰近居民之衝突亦時有所聞。

5. 外圍島嶼區：澎湖群島、金門、馬祖及其他周圍列島，由於工業化程度低，所帶來之污染相形降低，但公共衛生有待加強；金門、馬祖近年來開放觀光，飲用水、環境衛生及廢棄物問題已不容忽視。

依據聯合國的估計，世界人口將以開發中國家帶頭繼續成長，預計在公元2050年時會突破100億人。同時人口集中於都會區之情形將更加嚴重，開發中國家也將有大型都市出現。有相當多國家可能無法有效改善貧窮，再加上相當程度之人口成長，國際環境將持續惡化。

1996年底台灣地區人口數為2,147萬人，在政府「人口合理成長」的政策下，未來每年將增加18萬人。至2011年，總人口數將增至2,419萬人，人口密度將達到每平方公里670人，人口持續向都市集中。根據經建會的預估，至2011年時，85%的人口將集中於都市計劃地區。

因人口及經濟持續成長，其所增加的環境負荷也將更形棘手，同時既有之製造業、消費及處置的方式若無法加以改善，使其更具有省資源之特性，則以往典型公害問題也將繼續存在。同時因民眾休閒需求及對品質的要求有所提昇，為滿足國民對自然之接觸，對都市地區

之水岸、綠地及野生動物保育問題，也將更形突顯。

　　由於社會經濟情況將邁向穩定成熟，生產製造、消費、廢棄等活動造成之環境負荷如放任其自然增大，將形成台灣狹小國土內極為棘手之環境問題，進而形成永續發展之障礙。因此，未來在都會區對於都市型、生活型公害之防範，在非都市區域對於自然生態之保育，以及參與全球防止酸雨、海洋污染、溫室效應、臭氧層破壞、沙漠化、有毒物質擴散及環境管理等課題上，都必需付出相當之關懷與行動。否則，惡果將由我們的後代子孫承受。

附註：

　　（＊）本文之收錄在於補足「從南極看台灣」角度，以了解寶島此地環境惡化的全貌之不足。

自然
地
圖
03

前進南極

著　　者	企 鵝 先 生
文字編輯	陳 銘 民
美術設計	林 淑 靜

發行人	陳 銘 民
發行所	晨星出版社
	台中市工業區30路1號
	TEL:(04)3595820　FAX:(04)3595493
	郵政劃撥：02319825
	行政院新聞局局版台業字第2500號

法律顧問	甘 龍 強 律師
印刷	宏國印刷股份有限公司
製作	知文企業（股）公司　TEL:(04)3595819-120
初版	西元1999年5月30日

總經銷	知己有限公司
	〈台北公司〉台北市羅斯福路二段79號4F之9
	TEL:(02)23672044　FAX:(02)23635741
	〈台中公司〉台中市工業區30路1號
	TEL:(04)3595819　FAX:(04)3595493

定價450元

（缺頁或破損的書，請寄回更換）

ISBN.957-583-742-8

Published by Morning Star Publisher Inc.

Printed in Taiwan

國家圖書館出版品預行編目資料

前進南極：從南極看臺灣＝ Expedition to
Antarctica／企鵝先生文 －－初版.－－臺
中市：晨星 ，民88
面； 公分 －－（自然地圖；3）
參考書目:面
ISBN 957-583-742-8(平裝)
1.南極一手冊 ,便覽等

779 026   88005267